Dans la même collection

Le joueur d'échecs

Du même auteur
aux Éditions Stock

TROIS POÈTES DE LEUR VIE.
FREUD (Stock + Plus).
NIETZSCHE (Stock + Plus).
AMOK.
LA CONFUSION DES SENTIMENTS.
VINGT-QUATRE HEURES DE LA VIE D'UNE FEMME.

Stefan Zweig

Le
joueur d'échecs

Schachnovelle

Bibliothèque cosmopolite
Stock

Si vous souhaitez être tenu au courant de la publication de nos ouvrages, il vous suffira d'en faire la demande aux Éditions Stock, 22, avenue Pierre-Iᵉʳ-de-Serbie, 75116 Paris. Vous recevrez alors, sans aucun engagement de votre part, le bulletin où sont régulièrement présentées nos nouveautés que vous trouverez chez votre libraire.

Stefan Zweig

C'est en 1943 que la *Schachnovelle* paraît, à Stockholm, en édition originale. Edition posthume, puisque le 23 février de l'année précédente, Stefan Zweig s'était donné la mort en compagnie de sa seconde femme.

Il avait quitté l'Autriche en 1934, pour des raisons qui n'étaient pas d'ordre politique, et vivait à Londres en 1938, – ce 27 juillet 1938 où Monsieur B. dérobe dans la poche d'un manteau le manuel d'échecs qui va bientôt lui enfiévrer l'esprit, provoquer le dédoublement de sa personnalité et le faire sombrer dans la démence.

Lisons entre les lignes. Ce jeu qui consiste à «tendre de toute la force de sa pensée vers ce but ridicule: acculer un roi de bois dans l'angle d'une planchette», n'est-il pas analogue à cet autre jeu dérisoire auquel se livre l'écrivain tandis qu'un monde croule? Cette opposition entre la brute toujours victorieuse qu'est le champion Czentovic et l'aristocratique Monsieur B., ne figure-t-elle pas l'affrontement de la force nazie et des valeurs culturelles qui furent la raison d'être de Zweig? Le personnage de Monsieur B., enfin, que sa passion a divisé intérieurement et condamné à l'impuissance intellectuelle (corollaire négatif d'un excès de pouvoir intellectuel), ne nous parle-t-il pas au nom de Zweig lui-même dans un moment où, réfugié au Brésil, désespéré par l'anéantissement de l'Europe, il sent mûrir en lui la nécessité du suicide?

Monsieur B. sera sauvé, sans doute, sauvé corporellement, mais après avoir tout perdu de ce qui donnait du sens à sa vie, et à la condition impossible d'oublier le jeu d'échecs. Stefan Zweig lui aussi pouvait choisir de survivre, mais dans un exil qu'il imaginait définitif, et frustré, pour toujours croyait-il, du rôle de «conscience lucide» qu'il avait tenu jusque-là dans le monde.

En 1914, comme Romain Rolland, il déclare la guerre à la guerre, utilisant à cette fin l'arme de la création littéraire. La catastrophe des années quarante lui apparaît comme la négation de tout son travail d'homme et d'écrivain. Il s'en explique dans la confession à peine déguisée qu'est *Le joueur d'échecs*, enferme dans un tiroir ce dernier chef-d'œuvre, achève son autobiographie, et se tue.

Roger-Louis Junod

Sur le grand paquebot qui, à minuit, quittait New York, à destination de Buenos-Aires, régnait le va-et-vient habituel du dernier moment. Les passagers embarquaient, escortés d'une foule d'amis, des porteurs de télégrammes, la casquette sur l'oreille, jetaient des noms à travers les salons, on amenait des malles et des fleurs, des enfants curieux couraient du haut en bas du navire, pendant que l'orchestre jouait imperturbablement.

Sur le pont-promenade, un peu à l'écart du mouvement, je m'entretenais avec un ami, lorsque deux ou trois éclairs jaillirent tout près de nous – apparemment, un personnage de marque qu'on photographiait vite avant le départ. Mon compagnon regarda dans cette direction et sourit: «Vous avez à bord un oiseau rare: Czentovic.» Et, comme je n'avais pas l'air de comprendre, il ajouta, en guise d'explication: «Mirko Czentovic, le champion mondial du jeu d'échecs. Il a traversé les Etats-Unis d'est en ouest, sortant vainqueur de tous les tournois, et maintenant il s'en va cueillir de nouveaux lauriers en Argentine.»

Je me souvins alors de ce jeune champion et de quelques particularités de son étonnante carrière. Mon ami, qui lisait les journaux mieux que moi, compléta mes souvenirs d'une quantité d'anecdotes.

Il y avait environ un an, Czentovic était devenu d'un coup l'égal des maîtres les plus célèbres de l'échiquier. Aljechin, Capablanca, Tartakower, Lasker, Bogoljubow, n'avaient plus rien à lui apprendre. Depuis qu'en 1922 Rzecewski, le jeune prodige de sept ans, s'était distingué au tournoi de New York, on n'avait vu personne d'aussi obscur attirer avec autant d'éclat l'attention du monde sur l'illustre confrérie des joueurs d'échecs. Car les facultés intellectuelles de Czentovic n'eussent permis en aucune façon de lui prédire un brillant avenir. Le bruit courait que ce champion était incapable d'écrire une phrase, même dans sa propre langue, sans faire des fautes d'orthographe, et que, selon le mot d'un partenaire rageur, «son inculture était universelle».

Czentovic était le fils d'un misérable batelier slave du Danube, dont l'embarcation fut coulée une nuit par un vapeur chargé de blé. A la mort de son père, l'enfant qui avait douze ans, fut recueilli par le curé de son village et l'excellent prêtre s'efforça honnêtement de faire répéter à ce garçon apathique et taciturne les leçons qu'il n'arrivait pas à retenir à l'école.

Mais ses tentatives demeurèrent vaines. Mirko penchait son large front sur des caractères d'écriture qu'on lui avait déjà expliqués cent fois et il les fixait d'un œil vide; son cerveau était impuissant à garder les notions les plus élémentaires. A quatorze ans, il s'aidait encore de ses doigts pour compter et ne lisait un livre ou un journal qu'au prix des plus grands efforts. On n'eût pu dire cependant qu'il y mettait de la mauvaise volonté. Il faisait docilement ce qu'on lui ordonnait, portait l'eau, fendait le bois, travaillait aux champs, nettoyait la cuisine; bref, il rendait consciencieusement, bien qu'avec une lenteur exaspérante, tous les services qu'on lui demandait.

Mais ce qui chagrinait surtout le bon ecclésiastique, c'était l'indifférence totale de son bizarre protégé. Il n'entreprenait rien de son chef, ne posait jamais une question, ne jouait pas avec les garçons de son âge; sitôt sa besogne finie, on le voyait s'asseoir quelque part dans la chambre, avec cet air absent et vague des moutons au pâturage, sans prendre le moindre intérêt à ce qui se passait autour de lui. Le soir, le curé, allumant sa longue pipe, faisait avec le maréchal des logis ses trois parties d'échecs quotidiennes. L'adolescent approchait alors de la table sa tignasse blonde et fixait silencieusement l'échiquier avec des yeux qu'on croyait endormis et indifférents sous leurs lourdes paupières.

Un soir d'hiver, tandis que les deux partenaires étaient plongés dans leur jeu, on entendit tinter, toujours plus près, les clochettes d'un traîneau qui glissait à fond de train dans la rue. Un paysan, la casquette blanche de neige, entra précipitamment et pria le prêtre de venir administrer l'extrême-onction à sa vieille mère qui se mourait. Le curé le suivit sans tarder. Le maréchal des logis, qui n'avait pas encore vidé son verre de bière, ralluma sa pipe et se mit en devoir de renfiler ses lourdes bottes pour s'en aller. Il s'aperçut tout à coup que le regard de Mirko restait obstinément fixé sur la partie commencée.

«Eh bien! veux-tu la finir?» dit-il en plaisantant, car il était persuadé que le jeune endormi ne saurait pas déplacer un pion correctement sur l'échiquier.

Le garçon leva timidement la tête, fit signe que oui, et s'assit à la place du curé. En quatorze coups, voilà le maréchal des logis battu et obligé de reconnaître qu'il ne devait pas sa défaite à une négligence de sa part. La seconde partie tourna de même.

«Mais c'est l'âne de Balaam!» s'écria l'ecclésiastique stupéfait, lorsqu'il rentra. Et il expliqua au maréchal des logis, moins versé que lui dans les Ecritures, comment, deux mille ans auparavant, semblable miracle s'était produit, une créature muette ayant soudain prononcé des paroles pleines de sagesse.

Malgré l'heure avancée, le bon père ne put réprimer son envie de se mesurer avec son protégé. Mirko le battit aisément. Il avait un jeu lent, tenace, imperturbable, et ne relevait jamais son large front, penché sur l'échiquier. Mais la sûreté de sa tactique était indiscutable; ni le maréchal des logis ni le curé ne parvinrent, les jours suivants, à gagner une partie contre lui. Le prêtre, qui connaissait mieux que personne le retard de son pupille dans d'autres domaines, fut curieux de savoir jusqu'où allait ce don singulier. Il conduisit Mirko chez le barbier du village, fit tailler sa tignasse couleur de paille, pour le rendre plus présentable, et l'emmena en traîneau à la petite ville voisine. Il connaissait là quelques joueurs d'échecs enragés, plus forts que lui, et toujours attablés dans un coin du café de la Grand-Place.

Quand il entra, poussant devant lui ce garçon de quinze ans, aux cheveux pâles, aux joues rouges, les épaules couvertes d'une peau de mouton retournée, les habitués ouvrirent de grands yeux. Le jeune homme resta planté là, le regard timidement baissé, jusqu'à ce qu'on l'appelât à l'une des tables. Il perdit la première partie, n'ayant jamais vu son excellent protecteur ni le maréchal des logis pratiquer ce qu'on appelle l'ouverture sicilienne. La seconde fois, il faisait déjà partie nulle contre le meilleur joueur de la société, et aux suivantes, il les battait tous l'un après l'autre.

C'est ainsi qu'une petite ville yougoslave fut le théâtre d'un événement palpitant et que ses notables assistèrent aux débuts sensationnels de ce champion villageois. On décida à l'unanimité de retenir le jeune prodige jusqu'au lendemain, pour pouvoir informer de sa présence les autres membres du club, et surtout le vieux comte Simczic, un fanatique du jeu d'échecs. Le curé, qui regardait son pupille avec une fierté nouvelle, ne pouvait cependant négliger ses devoirs dominicaux; il se déclara prêt à laisser Mirko à ces messieurs, pour qu'il fît mieux encore ses preuves. Le jeune Czentovic fut alors installé à l'hôtel, aux frais des joueurs, et il vit ce soir-là pour la première fois de sa vie un cabinet muni d'un appareil à chasse . . .

Le dimanche après-midi, dans une salle comble, le garçon demeura assis, sans bouger, quatre heures durant devant l'échiquier et il vainquit tous ses adversaires ; il ne prononça pas une parole, ne leva même pas les yeux. Quelqu'un proposa une partie simultanée. On eut mille peines à expliquer au rustaud qu'on entendait par là le faire jouer seul contre plusieurs partenaires. Mais sitôt qu'il eut compris, il s'exécuta sans retard, alla lentement d'une table à l'autre en faisant craquer ses gros souliers et, pour finir, gagna sept parties sur huit.

Alors commencèrent de longues délibérations. Bien que le nouveau champion ne fût pas un ressortissant de la ville au sens étroit du mot, l'esprit de clocher se réveilla. Qui sait si la petite localité, dont l'existence était à peine relevée sur la carte, n'allait pas s'illustrer en donnant au monde un homme célèbre. Un impresario nommé Keller, qui s'occupait d'habitude de fournir des chansons et des chanteuses au cabaret de la garnison, s'offrit à conduire le jeune phénomène à Vienne, chez un maître remarquable, disait-il, qui achèverait de l'initier à son art. Il fallait seulement que quelqu'un voulût bien pourvoir aux frais d'un an de séjour dans la capitale. Le comte Simczic, qui, en soixante ans de pratique quotidienne, n'avait jamais rencontré d'adversaire aussi étonnant, signa un chèque sur-le-champ. Ainsi commença l'extraordinaire carrière de ce fils de batelier.

En six mois, Mirko apprit tous les secrets de la technique du jeu d'échecs; ses connaissances étaient étroitement limitées, il est vrai. On s'en aperçut, et l'on en rit souvent dans les cercles qu'il fréquenta par la suite. Car Czentovic ne parvint jamais à jouer une seule partie dans l'abstrait, ou, comme on dit, à l'aveugle. Il était absolument incapable de se représenter l'échiquier en imagination dans l'espace. Il avait besoin de voir devant lui, réelles et palpables, les soixante-quatre cases noires et blanches et les trente-deux figures du jeu. Même lorsqu'il fut célèbre dans le monde entier, il prenait avec lui un échiquier de poche, pour mieux se mettre dans l'œil la position des pièces, s'il voulait résoudre un problème ou reconstituer une partie de maître.

Ce défaut, négligeable en lui-même, décelait assez son manque d'imagination, et on le commentait vivement dans le milieu qui l'entourait, comme on eût fait, parmi les musiciens, d'un virtuose ou d'un chef d'orchestre distingué qui se fût montré incapable de jouer ou de diriger sans avoir la partition ouverte devant lui.

Mais cette particularité ne retarda nullement les stupéfiants progrès de Mirko. A dix-sept ans, il avait déjà remporté une douzaine de prix; à dix-huit ans, il était champion de Hongrie; et à vingt, champion du monde. Les plus hardis joueurs, ceux qui par l'intelligence, l'imagination et l'audace dépassaient infiniment Czentovic, ne purent résister à son implacable et froide logique. Ils se trouvèrent devant lui comme Napoléon devant le lourd Koutousow, ou comme Annibal devant Fabius Cunctator, dont Tite-Live rapporte qu'il présentait dans son jeune âge des signes frappants d'imbécillité.

L'illustre galerie des maîtres de l'échiquier comprenait jusqu'alors les types d'intelligence les plus divers, des philosophes, des mathématiciens, cerveaux imaginatifs et souvent créateurs; un personnage étranger au monde de l'esprit y figura désormais sous les traits de ce rustre lourdaud et taciturne, auquel les plus habiles journalistes ne parvinrent jamais à soutirer le moindre mot qui pût servir à leurs articles.

Il est vrai qu'on se rattrapait largement en citant nombre d'anecdotes sur son compte. Car, si la maîtrise de Czentovic était incontestable devant l'échiquier, il devenait, dès l'instant qu'il le quittait, un individu comique et presque grotesque, en dépit de son cérémonieux habit noir et de ses cravates pompeusement ornées d'une perle. Malgré ses mains soignées aux ongles laborieusement polis, il gardait les manières et le maintien du jeune paysan borné qui balayait autrefois la chambre de son curé.

Avec un maladroit et impudent cynisme, qui faisait tour à tour la joie et le scandale de ses collègues, il ne songeait qu'à tirer tout l'argent possible de son talent et de son renom. Sa cupidité ne reculait devant aucune mesquinerie. Il voyageait beaucoup, mais descendait toujours dans les hôtels de troisième ordre, et acceptait de jouer dans les clubs les plus ignorés, pourvu qu'il touchât ses honoraires. On le vit sur une affiche faire la réclame d'un savon et, sans se soucier des moqueurs qui le savaient incapable d'écrire une phrase correctement, il vendit sa signature à un éditeur qui publiait une «philosophie du jeu d'échecs». En réalité, l'ouvrage était écrit par un étudiant galicien pour cet éditeur, habile homme d'affaires.

Comme tous les têtus, Czentovic n'avait aucun sens du ridicule. Depuis qu'il était champion du monde, il se croyait le personnage le plus important de l'humanité. La conscience qu'il avait de ses victoires sur des hommes intelligents, brillants causeurs et grands clercs en écriture, le fait surtout qu'il gagnait plus gros qu'eux, transformèrent sa timidité native en une froide présomption qu'il étalait grossièrement.

«Mais comment un si prompt succès n'eût-il pas grisé une cervelle aussi vide ?» conclut mon ami, après m'avoir conté quelques traits caractéristiques de la puérile suffisance de Czentovic. «Comment voulez-vous qu'un petit paysan du Banat, âgé de vingt et un ans, ne soit pas ivre de vanité en voyant qu'il lui suffit de pousser des pièces sur une planche à carreaux pour gagner en une semaine plus d'argent que tous les habitants de son hameau n'en gagnent en une année de bûcheronnage et autres travaux éreintants ? Et n'est-il pas diablement aisé de se prendre pour un grand homme, quand on ne se doute pas le moins du monde qu'un Rembrandt, un Beethoven, un Dante ou un Napoléon ont jamais existé ? Ce gaillard ne sait qu'une chose, derrière son front barré, c'est qu'il n'a pas perdu une seule partie d'échecs depuis des mois, et comme il ne soupçonne même pas qu'il y a d'autres valeurs en ce monde que les échecs et l'argent, il a toutes les raisons d'être enchanté de lui-même.»

Ces propos de mon ami ne manquèrent pas d'exciter ma curiosité. Les gens qui sont possédés par une seule idée m'ont toujours intrigué, car plus un esprit se limite, plus il touche par ailleurs à l'infini. Ces gens, qui vivent solitaires en apparence, construisent, avec leurs matériaux particuliers et à la manière des termites, des mondes en raccourci d'un caractère tout à fait remarquable. Aussi déclarai-je mon intention d'observer de près ce singulier spécimen de développement intellectuel unilatéral et de bien employer à cet effet les douze jours de voyage qui nous séparaient de Rio.

«Vous avec peu de chances de parvenir à vos fins, me prévint mon ami. Personne, que je sache, n'a encore réussi à tirer de Czentovic le moindre renseignement psychologique. Derrière son insondable bêtise, ce rustre est assez malin pour ne jamais se compromettre. C'est bien simple: il évite toute conversation, hormis celle des compatriotes de son espèce qu'il rencontre dans les petites auberges où il fréquente. Sitôt qu'il flaire un homme instruit, il rentre dans sa coquille; ainsi, personne ne peut se vanter de l'avoir entendu dire une sottise ou d'avoir mesuré l'étendue de son ignorance.»

L'expérience devait justifier ces paroles. Pendant les premiers jours du voyage, force me fut de reconnaître qu'il était tout à fait impossible d'approcher Czentovic à moins de se montrer d'une grossière indiscrétion qui n'était ni de mon goût, ni dans mes habitudes.

Il se promenait souvent sur le pont, mais c'était toujours d'un air absorbé et farouche, les mains croisées derrière le dos, dans l'attitude où un tableau bien connu représente Napoléon; au surplus, il quittait les lieux avec tant de brusquerie et de précipitation qu'il eût fallu le suivre au trot pour pouvoir lui adresser la parole. On ne le voyait ni au bar, ni au fumoir, ni dans les salons. Le steward me confia qu'il passait le plus clair de son temps dans sa cabine à s'entraîner devant un grand échiquier.

Trois jours suffirent à me convaincre que sa tactique défensive était plus forte que ma volonté de l'aborder; j'en fus très contrarié. Je n'avais encore jamais eu l'occasion de connaître personnellement un champion du jeu d'échecs, et plus je m'efforçais de me représenter celui-ci, moins j'y parvenais. Comment se figurer un cerveau exclusivement occupé, sa vie durant, d'une surface composée de soixante-quatre cases noires et blanches? Assurément je connaissais par expérience le mystérieux attrait de ce «jeu royal», le seul entre tous les jeux qui échappe souverainement à la tyrannie du hasard, le seul où l'on ne doive sa victoire qu'à son intelligence ou plutôt à une certaine forme d'intelligence.

Mais n'est-ce pas déjà le limiter injurieusement de l'appeler un jeu? N'est-ce pas aussi une science, un art, ou quelque chose qui est suspendu entre l'un et l'autre, comme le cercueil de Mahomet entre ciel et terre? L'origine du jeu d'échecs se perd dans la nuit des temps, et cependant il est toujours nouveau; sa marche est mécanique, mais elle n'a de résultat que grâce à l'imagination du joueur; il est étroitement limité dans un espace géométrique fixe, et pourtant ses combinaisons sont illimitées. Il poursuit un développement continuel, mais il reste stérile. C'est une pensée qui ne mène à rien, une mathématique qui n'établit rien, un art qui ne laisse pas d'œuvre, une architecture sans matière; et il a prouvé néanmoins qu'il était plus durable à sa manière que les livres ou que tout autre monument, ce jeu unique qui appartient à tous les peuples et à tous les temps, et dont personne ne sait quel dieu en fit don à la terre pour tuer l'ennui, pour aiguiser l'esprit et stimuler l'âme. Où commence-t-il, où finit-il? Un enfant peut en apprendre les règles, un ignorant s'y essayer et y acquérir une maîtrise d'un genre unique, s'il a reçu ce don spécial. La patience et la technique s'y joignent à une vue pénétrante des choses, pour faire des trouvailles comme on en fait en mathématiques, en poésie, en musique.

Autrefois, la passion de la science eût peut-être poussé un Gall à disséquer le cerveau d'un champion d'échecs de cette espèce pour voir si sa substance grise ne présentait pas une circonvolution particulière, une manière de muscle ou de bosse caractéristique qui la distinguât des autres. Combien l'eût intéressé ce cas d'un homme en qui le don spécifique du jeu d'échecs s'alliait à une paresse intellectuelle totale, comme un filon d'or court dans une roche brute!

Certes, je comprenais en principe qu'un jeu si particulier, si génial, pût susciter des matadors, mais comment concevoir la vie d'une intelligence tout entière réduite à cet étroit parcours, uniquement occupée à faire avancer et reculer trente-deux pièces sur des carreaux noirs et blancs, engageant dans ce va-et-vient toute la gloire de sa vie! Comment s'imaginer un homme qui considère comme un exploit le fait d'ouvrir le jeu avec le cavalier plutôt qu'avec un autre pion, et qui inscrit sa pauvre petite part d'immortalité au coin d'un livre consacré aux échecs. Comment se figurer enfin un homme, un homme doué d'intelli-

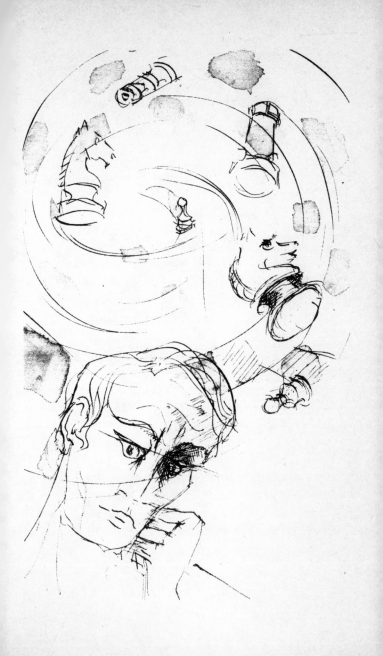

gence, qui puisse, sans devenir fou, et pendant dix, vingt, trente, quarante ans, tendre de toute la force de sa pensée vers ce but ridicule: acculer un roi de bois dans l'angle d'une planchette!

Et maintenant qu'un pareil phénomène, un aussi singulier génie ou, si l'on préfère, un fou aussi énigmatique se trouvait pour la première fois tout près de moi, sur le même bateau, à six cabines de la mienne, je me voyais refuser la possibilité de l'approcher, moi qui ai toujours eu une curiosité passionnée pour les choses de l'esprit. Je me mis à inventer les stratagèmes les plus absurdes: si je lui demandais une interview pour un prétendu grand journal? Ou bien, si je lui proposais un lucratif tournoi en Écosse? Finalement, je me souvins que le chasseur attire le gibier en imitant son cri, à la saison des amours; c'est en jouant aux échecs qu'assurément on attire le mieux l'attention d'un joueur d'échecs.

À vrai dire, je n'ai jamais été un sérieux artiste dans ce domaine, car je ne joue à ce jeu que pour mon plaisir, je ne m'assieds devant un échiquier que pour me détendre l'esprit. Je joue, au sens strict du mot, je me distrais. En outre, aux échecs, comme en amour, il faut un partenaire, et je ne savais s'il y avait à bord d'autres amateurs que ma femme et moi. Pour les attirer, s'il s'en trouvait, nous nous installâmes au fumoir, devant un échiquier, et nous mîmes à jouer. Nous n'avions pas fait six coups qu'un promeneur puis un autre s'arrêtaient là et nous demandaient la permission de regarder.

Enfin, quelqu'un me pria de faire une partie avec lui. C'était un ingénieur écossais qui s'appelait Mac-Connor et qui, me dit-on, avait amassé une grosse fortune en creusant des puits de pétrole en Californie. Trapu, la mâchoire carrée, les dents solides, il devait en partie la riche coloration de son teint à un goût prononcé pour le whisky. Sa surprenante largeur d'épaules ne laissait pas de se faire sentir jusque dans son jeu, car M. MacConnor était de cet espèce d'hommes qui ont réussi et sont si pleins d'eux-mêmes qu'ils considèrent comme une humiliation personnelle de perdre, fût-ce une inoffensive partie d'échecs. Habitué à s'imposer brutalement et gâté par ses réels succès, ce *selfmade man* massif était si pénétré de sa supériorité qu'il regardait toute opposition comme un désordre et presque comme une injure. Il perdit la première partie de fort mauvaise grâce, et se mit à expliquer, avec une volubile autorité, que sa défaite ne venait que d'un instant de distraction. A la troisième, il s'en prenait au bruit qu'on faisait dans la chambre voisine ; il ne perdit jamais sans réclamer la revanche. Cet acharnement m'amusa d'abord, puis je n'y vis plus qu'une circonstance secondaire qui ne gênait en rien mon projet.

Le troisième jour, mon stratagème réussit, mais à moitié seulement. Czentovic nous avait-il aperçus par la fenêtre en se promenant sur le pont, ou bien honorait-il par hasard le fumoir de sa présence ce jour-là ? Toujours est-il que nous le vîmes faire quelques pas involontaires dans notre direction, et jeter, à bonne distance, un œil de connaisseur sur l'échiquier où nous nous mêlions de pratiquer son art. MacConnor était justement en train de déplacer un pion. Hélas! ce seul coup suffit à montrer au maître combien nous étions peu dignes de son royal intérêt. Avec le geste dont on repousse, sans même le feuilleter, un mauvais roman policier à l'étalage d'une librairie, Czentovic s'écarta de notre table et quitta le fumoir. «Pesé et trouvé trop léger», me dis-je en moi-même, un peu froissé par ce regard méprisant. Et, donnant cours à ma mauvaise humeur, je dis à MacConnor:

«Votre coup ne semble pas avoir enchanté le maître.
– Quel maître ?»

Je lui expliquai que ce monsieur qui venait de passer près de nous, en jetant sur notre jeu un regard désapprobateur, était Czentovic, le champion mondial du jeu d'échecs.

«Eh bien! ajoutai-je, il ne nous reste qu'à supporter cet affront et à nous accommoder de son mépris sans en faire une maladie. Les pauvres bougres doivent faire leur cuisine à l'eau.»

Mais ces paroles, prononcées avec détachement, eurent sur MacConnor un effet surprenant. Il se montra fort excité et en oublia la partie commencée. La

35

vanité lui gonflait les tempes. Il déclara qu'il n'avait pas eu la moindre idée que Czentovic fût à bord, et qu'il voulait absolument jouer avec lui; qu'il n'avait encore jamais joué contre un pareil champion, sauf une fois, avec quarante autres, lors d'une partie simultanée qui avait été passionnante, et qu'il avait du reste presque gagnée. Il me demanda si je connaissais l'illustre personnage. Comme je répondais que non, il suggéra que je pourrais l'aborder et le prier de se joindre à nous. Je refusai, alléguant que Czentovic n'était pas, à ma connaissance, très désireux de se faire de nouvelles relations. D'ailleurs, où serait le plaisir d'une partie engagée entre un champion mondial et les joueurs de troisième classe que nous étions ?

J'avoue que je n'aurais pas dû employer cette expression de joueur de troisième classe devant un homme aussi vaniteux que MacConnor. Il se rejeta en arrière, déclara sèchement que, pour sa part, il ne croyait pas Czentovic capable de décliner l'invitation courtoise d'un gentleman et qu'il allait s'en occuper. Sitôt que je lui eus, à sa requête, brièvement décrit la personne du champion, il s'élança impétueusement à sa recherche sur le pont. Je m'aperçus une fois de plus qu'on ne pouvait guère retenir le propriétaire de ces remarquables épaules quand il avait un projet en tête, et j'attendis avec un peu d'anxiété. Au bout de dix minutes, MacConnor revint. Il ne paraissait pas beaucoup plus calme.

«Eh bien ? demandai-je.

– Vous aviez raison», me répondit-il, l'air vexé. «Ce monsieur n'est pas aimable. Je me suis présenté, j'ai décliné mes qualités. Il ne m'a même pas tendu la main. Je me suis efforcé alors de lui expliquer combien nous tous, à bord, serions heureux qu'il acceptât de jouer une partie simultanée contre nous.

»Il demeura raide comme un piquet et me répondit qu'il regrettait, mais qu'il s'était engagée par contrat à ne jamais jouer, durant toute sa tournée, sans toucher d'honoraires. Il se voyait donc obligé de demander au minimum deux cent cinquante dollars par partie.»

Je me mis à rire. «Je n'aurais jamais pensé que pousser des pions d'un carreau noir sur un carreau blanc fût une affaire aussi lucrative. J'espère que vous lui avez poliment tiré votre révérence.»

Mais MacConnor garda tout son sérieux.

«La partie aura lieu demain après-midi, à trois heures, dans ce fumoir. J'espère que nous ne nous laisserons pas si facilement battre à plate couture.

– Quoi ? Vous avez accepté ces conditions ? m'écriai-je, consterné.

– Pourquoi pas ? *C'est son métier*[1]. Si j'avais mal aux dents et qu'il se trouvât un dentiste à bord, je ne lui demanderais pas de m'arracher une dent gratuitement. Czentovic a bien raison: les gens vraiment capables ont toujours su faire leurs affaires. Et quant à

[1] En français dans le texte. (N. d. t.)

moi, j'estime que plus un marché est clair, mieux il vaut. Je préfère payer, plutôt que de compter sur les faveurs du sieur Czentovic et d'être obligé de le remercier pour finir. Après tout, à mon club, il m'est arrivé déjà de perdre plus de deux cent cinquante dollars en un soir, et cela sans avoir le plaisir de jouer contre un champion mondial. Pour un joueur de troisième classe, il n'y a pas de honte à être battu par un Czentovic.»

Décidément, l'amour-propre de MacConnor avait été profondément blessé par cette innocente expression de «joueur de troisième classe». Mais puisqu'il était résolu à faire les frais de ce coûteux plaisir, je n'avais rien à objecter à l'entreprise; elle allait enfin me permettre de voir de plus près le singulier personnage qui excitait ma curiosité. Nous nous hâtâmes d'informer de l'événement les quatre ou cinq joueurs d'échecs que nous connaissions à bord, et, pour être aussi tranquilles que possible le lendemain, nous fîmes réserver toutes les tables voisines de la nôtre.

Le jour suivant, à l'heure convenue, notre petit groupe était au complet. Bien entendu, on donna à MacConnor la place qui faisait face à celle du maître. Nerveux, l'Ecossais allumait cigare sur cigare en consultant sans cesse la pendule. Mais notre illustre champion se fit attendre dix bonnes minutes, ce qui ne m'étonna guère, après les récits de mon ami – et il fit ensuite son apparition avec un insolent aplomb. Il se dirigea vers la table d'un pas tranquille et mesuré. Sans se présenter – «Vous savez qui je suis, et cela ne m'intéresse pas de savoir qui vous êtes», semblait-il nous signifier par là – il se mit à organiser le jeu avec une sécheresse toute professionnelle. Comme une partie simultanée ordinaire était impossible, faute d'un nombre suffisant d'échiquiers, il proposa que nous jouiions tous ensemble contre lui. Après chaque coup, il s'en irait à l'autre bout de la chambre, pour ne pas troubler nos délibérations. Aussitôt que nous aurions joué, nous frapperions sur un verre avec une cuiller pour l'avertir, puisqu'il n'y avait pas de sonnette. Si nous étions d'accord, on fixerait à dix minutes le temps d'intervalle entre deux coups. Nous acceptâmes naturellement toutes ses propositions comme de timides écoliers. Le sort donna les noirs à Czentovic; en réplique à notre ouverture, il joua son premier coup sans même s'asseoir et s'en fut aussitôt dans le fond de la pièce, à la place qu'il avait choisie pour attendre; il feuilleta négligemment un journal illustré.

Le récit détaillé de cette partie offrirait peu d'intérêt. En vingt-quatre coups, nous étions complètement battus. Quoi d'étonnant à ce qu'un champion mondial ait aisément raison d'une douzaine de joueurs moyens! Ce qui nous était désagréable, bien plutôt, c'était la suffisance avec laquelle Czentovic nous faisait sentir sa supériorité. Il ne jetait sur l'échiquier qu'un regard distrait, nous considérait négligemment, en passant, comme si nous n'étions nous-mêmes que d'inertes pièces de bois, des chiens galeux auxquels on lance un os en se détournant. S'il avait un peu de délicatesse, me disais-je, il attirerait notre attention sur les fautes que nous faisons, ou bien il nous encouragerait d'un mot aimable. Mais non, la partie terminée, cette sorte de machine à jouer aux échecs prononça: «Mat!», puis resta là, immobile et muette, attendant de savoir si nous désirions recommencer.

On est toujours dépourvu de moyens devant des épidermes aussi épais. Je m'étais levé, signifiant par là que j'estimais terminé ce divertissement, lorsque, à mon grand dépit, j'entendis MacConnor dire à côté de moi, d'une voix tout enrouée: «Revanche!»

Je fus épouvanté de son ton provocant; en ce moment, MacConnor faisait plutôt penser à un boxeur qui va assener un coup qu'à un gentleman bien élevé. Etait-ce la manière peu agréable dont nous avait traités Czentovic, ou simplement son ambition maladive? – toujours est-il que MacConnor paraissait avoir changé de nature. Rouge jusqu'à la racine des cheveux, les narines dilatées, il transpirait visiblement, et se mordait les lèvres. Un pli profond se creusait de sa bouche à son menton volontaire. Dans ses yeux, je reconnus avec inquiétude cette flamme de folle passion qui ne saisit d'ordinaire que les joueurs de roulette quand, pour la sixième ou septième fois, ils ont misé double sur une couleur qui ne sort pas. Je prévoyais que cet amour-propre forcené allait lui coûter toute sa fortune, qu'il allait jouer et rejouer contre Czentovic jusqu'à ce qu'il ait gagné au moins une fois. Et si le champion persévérait, MacConnor serait pour lui une mine d'or dont il tirerait bien quelques milliers de dollars avant que nous ne soyons à Buenos-Aires. Czentovic demeura impassible.

«Comme il vous plaira, répondit-il poliment. C'est à ces messieurs de prendre les noirs.»

La deuxième partie débuta comme la première, notre cercle s'était animé seulement de quelques curieux. MacConnor regardait fixement l'échiquier, on eût dit qu'il voulait magnétiser les pièces pour les mener à la victoire. Je sentais qu'il eût volontiers donné mille dollars pour avoir le plaisir de crier: «mat» à son peu galant adversaire. Il nous communiquait malgré nous quelque chose de son acharnement. Nous discutions chaque coup avec plus de passion qu'auparavant, et nous ne nous mettions d'accord qu'au dernier moment pour donner à Czentovic le signal qui le rappelait à notre table. Nous étions parvenus ainsi au dix-septième coup et, à notre propre ahurissement, la situation se présentait à notre avantage, car nous avions réussi à amener le pion de la ligne c jusqu'à la case $c2$; il ne restait qu'à l'avancer en $c1$ pour faire une nouvelle dame. Nous n'étions, il est vrai, pas tout à fait rassurés devant une chance aussi apparente. A l'unanimité, nous soupçonnions Czentovic, qui voyait évidemment plus loin que nous, de nous tendre cet appât avec d'autres intentions. Mais nous eûmes beau chercher et discuter, nous ne pûmes découvrir le traquenard.

Finalement, le délai réglementaire touchant à sa fin, nous nous décidâmes à risquer le coup. Déjà, MacConnor poussait le pion, lorsque quelqu'un le saisit brusquement par le bras et lui chuchota vivement: «Pour l'amour du ciel, ne faites pas cela!» Involontairement, chacun se retourna. Nous vîmes un homme d'environ quarante-cinq ans, au visage étroit et anguleux, que j'avais déjà rencontré sur le pont, et qui m'avait frappé par sa pâleur extrême. Il avait dû s'approcher de nous, pendant que nous étions absorbés tout entiers par le problème à résoudre. Sentant nos regards posés sur lui, il ajouta précipitamment: «Si vous faites dame maintenant, l'adversaire vous attaque immédiatement avec le fou en c1, et vous ripostez avec le cavalier. Mais, entre-temps, il ira menacer votre tour en d7 avec son pion libre, et même si vous faites échec avec le cavalier, vous êtes perdus et battus en neuf ou dix coups. Ce sont à peu près les positions qu'avaient Aljechin et Bogoljubow lors du grand tournoi de Pistyan en 1922.»

Surpris, MacConnor lâcha la pièce qu'il tenait dans la main et regarda, émerveillé comme nous tous, cet homme qui semblait tomber du ciel à la manière d'un ange sauveur. Pour prévoir neuf coups d'avance qui feraient mat, ce devait être un professionnel distingué, peut-être même un concurrent de Czentovic, se rendant au même tournoi. Son arrivée et sa soudaine intervention à un moment aussi critique tenaient presque du miracle. Ce fut MacConnor qui se ressaisit le premier.

«Que me conseillez-vous? murmura-t-il, fort excité.

— N'avancez pas maintenant, évitez l'adversaire!

Avant tout, éloignez le roi de la dangereuse ligne g8–h7. Votre partenaire attaquera probablement sur l'autre flanc, mais vous y parerez avec la tour, c8–c4; cela lui coûtera deux coups, un pion et sa supériorité. Vous lutterez alors, pion libre contre pion libre et si vous vous défendez bien, vous ferez partie nulle. Vous ne pouvez pas tirer mieux de la situation.»

Nous étions de plus en plus étonnés. La précision et la rapidité de ses calculs étaient déconcertantes; on eût dit que cet homme lisait ses coups dans un livre. La chance inespérée que nous avions maintenant de faire, grâce à lui, partie nulle contre un champion mondial, tenait de la magie. D'un commun accord, nous nous écartâmes pour mieux lui laisser voir l'échiquier.

MacConnor répéta:

«Déplacer le roi de g8 en h7 ?

– Certainement! Il faut éviter l'adversaire.»

MacConnor obéit, et nous frappâmes sur le verre. Czentovic s'approcha de son pas tranquille, et apprécia la riposte d'un coup d'œil. Puis il poussa un pion de h2 en h4, sur l'autre flanc du roi, comme l'avait prévu notre sauveteur inconnu, qui aussitôt nous chuchota vivement:

«La tour, avancez la tour de c8 en c4, pour qu'il soit obligé de protéger son pion. Cela ne lui servira d'ailleurs à rien! Vous attaquerez alors avec le cavalier, c3–d5, sans vous soucier de son pion libre, et voilà la situation rétablie. Cette fois, en avant, il n'est plus nécessaire de vous défendre!»

Nous ne comprenions pas ce qu'il voulait dire, pas plus que s'il eût parlé chinois. Cependant MacConnor, subjugué, fit ce qu'on lui ordonnait sans réfléchir davantage. Le verre tinta de nouveau. Pour la première fois, Czentovic ne joua pas immédiatement, il regarda d'abord l'échiquier avec une attention soutenue. Puis il fit exactement le coup que l'étranger nous avait annoncé et s'apprêta à s'éloigner.

Alors se produisit un fait nouveau, inattendu: Czentovic leva les yeux et il examina nos rangs. Il cherchait manifestement à savoir qui lui opposait tout à coup une si énergique résistance. Dès ce moment, notre excitation ne connut plus de bornes. Si nous avions été jusque-là sans espoir, la pensée de briser la froide arrogance de Czentovic nous brûlait maintenant le sang. Déjà notre nouvel ami avait décidé du coup suivant. Mes doigts tremblaient quand je saisis la cuiller pour rappeler Czentovic en frappant sur le verre. Nous connûmes alors notre premier triomphe. Le champion, qui avait toujours joué debout, hésita... hésita, et finit par s'asseoir. Il se laissa tomber à regret et pesamment sur son siège; qu'importe, il cessait ainsi de marquer physiquement sa supériorité sur nous. Nous l'avions obligé à se mettre sur le même plan que nous, tout au moins dans l'espace. Il réfléchit longtemps, penché sur l'échiquier, si bien qu'on voyait à peine ses yeux, sous les sombres paupières, et il faisait un tel effort qu'il en ouvrait la bouche, ce qui donnait à sa figure ronde une expression un peu niaise. Au bout de quelques minutes, il joua et se leva. Notre ami murmura aussitôt: «Bien joué! Il ne se compromet pas. Mais ne vous y laissez pas prendre! Obligez-le à choisir, il le faut, pour obtenir partie nulle; et alors rien ne pourra plus le sauver.»

MacConnor obéit. Ensuite, les deux adversaires se livrèrent sur l'échiquier à un manège auquel nous autres, comparses inutiles, ne comprenions rien du tout. Après six ou sept coups de cette espèce, Czentovic resta longtemps songeur, puis il déclara: «Partie nulle.»

Il y eut un instant de silence complet. Dans le fumoir, on entendit tout à coup le bruit des vagues, la radio du salon nous envoya un jazz, chaque pas résonna distinctement sur le pont; on perçut jusqu'au léger sifflement du vent passant par les interstices des fenêtres. Le souffle coupé par la rapidité de l'événement, nous étions véritablement effrayés de l'invraisemblance de cette aventure. Comment cet inconnu avait-il eu le pouvoir de faire perdre à moitié une partie à un champion mondial? MacConnor se renversa brusquement en arrière, et poussa un «ah!» joyeux. J'observai Czentovic. Il m'avait semblé qu'il pâlissait un peu pendant les derniers coups. Mais il savait se contenir. Toujours raide et indifférent, il demanda d'une

voix neutre, en repoussant de la main les pièces de l'échiquier :

«Ces messieurs désirent-ils faire une troisième partie ?»

Il posait la question de manière purement objective, en homme d'affaires. Mais en prononçant ces mots, il ne s'adressait pas à MacConnor, car il jeta un regard perçant et direct dans la direction de notre sauveteur. Comme un cheval sait reconnaître un bon cavalier à son assiette, Czentovic devait avoir reconnu son véritable adversaire aux derniers coups de la partie. Involontairement, nous avions suivi son regard et nous tournâmes les nôtres vers l'étranger. Sans lui laisser le temps de réfléchir ou seulement de répondre, MacConnor lui cria, débordant d'orgueil triomphant : «Naturellement ! Mais vous allez jouer seul contre lui ! Vous seul contre Czentovic !»

Un fait surprenant se produisit alors. L'étranger, qui était resté bizarrement absorbé par l'échiquier vide, sursauta en sentant tous les yeux fixés sur lui, et en s'entendant interpeller avec un tel enthousiasme, il parut troublé.

«Jamais de la vie, messieurs, bégaya-t-il, confus. C'est tout à fait impossible... je ne saurais entrer en considération... il y a vingt ou vingt-cinq ans que je n'ai pas vu d'échiquier... je suis intervenu dans votre jeu sans votre permission et je m'aperçois maintenant seulement combien c'était déplacé de ma part... veuillez excuser un importun... qui ne recommencera pas, je vous assure.» Et, avant que nous fussions remis de notre surprise, il avait quitté la chambre. .

«Cela ne se passera pas ainsi! tonna le bouillant MacConnor en frappant du poing sur la table. Vingt-cinq ans que cet homme n'a pas joué aux échecs! C'est tout à fait impossible! Il combinait chaque coup, connaissait longtemps d'avance la tactique de l'adversaire. Personne ne peut jouer ainsi tout de go. C'est absolument impossible – n'est-ce pas?» Il s'était tourné volontairement vers Czentovic en disant ces derniers mots. Mais le champion resta impassible.

«Je ne puis en juger. Il est certain que Monsieur a joué de manière intéressante; c'est pourquoi je lui ai intentionnellement laissé une chance de gagner.» Tout en parlant, il se leva et ajouta négligemment: «Si l'un ou l'autre de ces messieurs désirait faire une partie demain, je suis à leur disposition dès trois heures de l'après-midi.»

Nous ne pûmes réprimer un léger sourire. Nous savions tous que Czentovic n'avait pas eu à se montrer généreux envers notre sauveteur inconnu, et que sa remarque n'était qu'un naïf subterfuge servant à cacher sa mésaventure. Notre désir d'abaisser tant d'orgueil s'en accrut. Paisibles et indolents passagers que nous étions jusque-là, nous fûmes saisis soudain d'une humeur sauvage et batailleuse à la pensée que, sur ce bateau, en plein océan, Czentovic pourrait se voir arracher ses palmes. Ce serait un record immédiatement annoncé par radio au monde entier.

A cela s'ajoutait encore l'attrait du mystère dans lequel était apparu notre héros et le contraste de sa modestie presque excessive avec l'imperturbable arrogance du professionnel. Qui était cet inconnu ? Le hasard nous avait-il fait découvrir un nouveau génie de l'échiquier ? Ou bien était-ce un maître déjà célèbre, qui nous cachait son nom pour un motif impénétrable ? Nous débattions ces questions avec la plus grande animation et les hypothèses les plus hardies ne l'étaient point encore assez pour concilier la timidité de l'étranger et sa surprenante confession, avec son évidente connaissance du jeu d'échecs.

Sur un point, cependant, nous étions unanimes : nous voulions à tout prix décider l'inconnu à jouer une partie contre Czentovic, le lendemain, et Mac-Connor s'engagea à couvrir les risques financiers de l'affaire. Sur ces entrefaites, on apprit, en interrogeant le steward, que l'étranger était Autrichien, et je fus chargé, puisque j'étais son compatriote, de lui présenter notre requête.

J'eus vite fait de le retrouver, sur le pont où il s'était réfugié. Il lisait, étendu sur sa chaise-longue. Avant de l'aborder, je le considérai longuement. Sa tête anguleuse s'appuyait aux coussins dans une pose un peu lasse, et l'étonnante pâleur de ce visage relativement jeune me frappa de nouveau. Ses cheveux étaient tout blancs; j'avais, je ne sais pourquoi, l'impression que cet homme avait vieilli prématurément. Il se leva avec courtoisie lorsque je m'approchai de lui et se présenta. Son nom était celui d'une vieille famille autrichienne très considérée, je me souvins qu'un ami de Schubert l'avait porté, ainsi qu'un des médecins de l'empereur.

Lorsque je lui eus fait part de notre désir, il parut très déconcerté. Je découvris qu'il n'avait pas eu la moindre idée qu'il jouait contre un champion, et même contre le champion le plus célèbre de l'époque. Ce fait parut lui faire beaucoup d'impression, car il me demanda plusieurs fois si j'étais sûr de ce que j'avançais, et si son adversaire était vraiment un maître aussi connu. Cela facilita ma tâche. Cependant, je sentais en lui tant de délicatesse que je jugeai plus à propos de ne rien dire des risques matériels que Mac-Connor prenait à sa charge. Après un long moment d'hésitation, Monsieur B. se déclara prêt à accepter le défi, «mais», ajouta-t-il avec un sourire pensif, «dites bien à ces messieurs qu'ils ne doivent pas fonder sur moi de trop grands espoirs. J'ignore, en vérité, si je suis capable ou non de jouer une partie d'échecs selon les règles. Croyez-moi, c'était sans aucune fausse modestie que j'ai affirmé n'avoir pas touché à un échiquier depuis le temps où j'étais gymnasien, c'est-à-dire depuis plus de vingt ans. Et je n'étais, même alors, qu'un joueur insignifiant.»

Il disait cela avec tant de simplicité que je ne pouvais douter de sa loyauté. Néanmoins, je ne pus m'empêcher d'exprimer mon étonnement de ce qu'il pût se rappeler si exactement les tactiques des différents maîtres qu'il avait cités; il devait s'être beaucoup intéressé aux échecs, théoriquement du moins. A ces mots, Monsieur B. eut de nouveau son étrange sourire songeur.

«Si je m'en suis occupé! Dieu seul sait à quel point ce que vous venez de dire est vrai. Mais la chose se produisit dans des circonstances tout à fait particulières, voire uniques. C'est une histoire assez compliquée, et qui pourrait tout au plus servir d'illustration à la charmante époque où nous vivons. Si vous avez la patience de m'écouter une demi-heure...»

D'un geste, il m'invita à m'asseoir sur la chaise-longue qui était à côté de la sienne. J'acceptai de bon cœur. Nous étions seuls. Monsieur B. ôta ses lunettes et commença:

«Vous avez eu l'amabilité de me dire que vous étiez Viennois et que vous connaissiez le nom que je porte. Cependant, je suppose que vous n'avez guère entendu parler de l'étude d'avocats que je dirigeais, avec mon père d'abord, puis tout seul. Car nous ne défendions pas de causes éclatantes, de celles dont on parle dans les journaux, et nous ne cherchions pas à augmenter notre clientèle. En réalité, nous ne pratiquions plus le barreau à proprement parler. Nous nous bornions à être des conseillers juridiques et à administrer les biens des grands couvents avec lesquels mon père, ancien député du parti clérical, avait des relations étroites.

»En outre – je puis vous le dire sans indiscrétion, puisque la monarchie a vécu aujourd'hui – quelques membres de la famille impériale nous avaient confié la gérance de leur fortune. Ces liens avec la cour et le clergé dataient de deux générations déjà – un de mes oncles était médecin de l'empereur, un autre abbé à Seitenstetten – nous n'avions qu'à les maintenir. C'était là une activité tranquille, et en quelques sorte muette, qui nous était échue par voie d'héritage, et qui ne demandait pour nous être conservée, qu'une extrême discrétion et une honnêteté éprouvée, deux qualités que feu mon père possédait au plus haut degré. Il réussit, en effet, à garder à ses clients une partie considérable de leur fortune, malgré l'inflation et la révolution.

»Lorsque Hitler arriva au pouvoir en Allemagne, et qu'il se mit à dépouiller l'Eglise et les couvents, diverses transactions et négociations se firent par notre moyen, de l'autre côté de la frontière, pour éviter au moins la saisie des biens mobiliers de nos clients. A ce moment-là, nous en savions plus, mon père et moi, sur la politique secrète de Rome et de la maison impériale, que le public n'en apprendra jamais. Mais, précisément, le caractère discret de notre bureau – il n'y avait même pas de plaque à notre porte – et la prudence avec laquelle nous évitions ostensiblement les milieux monarchistes, paraissaient nous mettre à l'abri des enquêtes importunes. Le fait est qu'aucune autorité, en Autriche, ne se douta jamais alors que le courrier secret de la maison impériale passait presque tout entier par l'insignifiante étude que nous avions, au quatrième étage d'une maison.

»Or, les nationaux-socialistes, bien avant de lancer leurs armées contre le monde, avaient organisé, dans tous les pays voisins, une autre légion, aussi dangereuse et bien entraînée, celle des aigris et des mécontents qu'on trouve sous n'importe quel régime politique, qui s'insinuaient dans chaque bureau, dans chaque entreprise, et avaient leurs postes d'espionnage jusque dans le cabinet particulier de Dollfuss et de Schuschnigg. J'appris, hélas! trop tard, qu'elles avaient leur homme aussi dans notre petite étude. Ce n'était, à vrai dire, qu'un pitoyable commis que nous avions engagé sur la recommandation d'un curé, pour donner à notre bureau l'aspect d'une affaire ordinaire. Nous ne lui confiions rien d'autre que des courses inoffensives, le soin de répondre au téléphone et celui de ranger des actes insignifiants. Il n'était pas autorisé à ouvrir le courrier, j'écrivais moi-même à la machine toutes les lettres importantes, sans en laisser de copie au bureau, j'emportais chez moi les documents de valeur, et donnais mes consultations secrètes au prieuré du couvent ou chez mon oncle.

»Grâce à ces précautions, il n'y avait rien d'intéressant à épier au bureau. Il fallut un hasard malheureux pour que l'ambitieux individu s'aperçût qu'on se méfiait de lui et que tout se passait derrière son dos. Peut-être, en mon absence, un messager imprudent a-t-il parlé de «Sa Majesté» au lieu de l'appeler le «baron Bern», comme il était convenu, ou bien le gredin a-t-il ouvert des lettres, contrairement aux ordres reçus. Toujours est-il que Munich ou Berlin le chargea de nous surveiller, avant que j'en eusse le moindre soupçon. Ce n'est que beaucoup plus tard et après avoir été arrêté que je me rappelai le zèle subit dont il avait fait preuve dans les derniers temps de son service chez nous et l'instance avec laquelle il m'offrait de mettre mon courrier à la poste. Il y eut de ma part une certaine imprévoyance, je l'avoue, mais combien de diplomates et d'officiers n'ont-ils pas été trompés par la perfidie de cette clique ?

»J'eus bientôt une preuve tangible de l'attention que me vouait depuis longtemps la Gestapo: le soir même où Schuschnigg donnait sa démission, la veille du jour où Hitler entrait à Vienne, j'étais arrêté par des hommes de la SS. J'avais par bonheur brûlé les papiers les plus importants, sitôt après avoir entendu le discours d'adieu de Schuschnigg et, une minute avant que les sbires ne frappent à la porte, expédié à mon oncle dans une corbeille de linge, par l'intermédiaire de ma vieille et fidèle gouvernante, tous les papiers nécessaires à la reconnaissance des titres que son couvent et deux archiducs possédaient à l'étranger.»

Monsieur B. interrompit son récit pour allumer un cigare. La vive lueur de la flamme éclaira sa bouche; un tic nerveux, qui m'avait déjà frappé auparavant, en tordait le coin droit. Ce n'était qu'un mouvement fugitif, à peine perceptible, mais il donnait à tout son visage une expression étrangement inquiète.

«Vous vous figurez sans doute que je vais maintenant vous parler d'un de ces camps de concentration où furent conduits tant d'Autrichiens qui voulaient rester fidèles à leur pays, et que je vais vous décrire toutes les humiliations et les tortures qu'on y souffrait. Mais il ne m'arriva rien de pareil. Je fus classé dans une autre catégorie. On ne me mit pas avec ces malheureux sur lesquels on se vengeait d'un long ressentiment par des humiliations physiques et psychiques, mais dans cet autre groupe moins nombreux, dont les nationaux-socialistes espéraient tirer de l'argent ou des renseignements importants. Ma modeste personne ne présentait en elle-même aucun intérêt pour la Gestapo.

»On devait avoir appris, cependant, que nous étions les administrateurs et les hommes de confiance des adversaires les plus acharnés du parti, et ce que l'on espérait obtenir de moi, c'étaient des renseignements. Des renseignements qu'on tournerait en preuves accablantes contre les couvents, pour justifier l'accaparement de leurs biens, et dont on se servirait aussi contre la maison impériale et contre tous les monarchistes fidèles. On se disait, non sans raison, que les fortunes passées entre nos mains avaient dû laisser de respectables restes dans quelque endroit inaccessible. Aussi, on m'arrêta dès le premier jour, pour tenter de me faire parler au moyen des méthodes dont on connaissait les excellents résultats.

»Les gens de cette catégorie n'étaient pas mis en camp de concentration, on leur réservait un sort spécial. Vous vous souvenez peut-être que ni notre chancelier ni le baron Rothschild ne furent enfermés derrière des fils de fer barbelés, mais qu'on leur fit l'apparente faveur de les installer dans un hôtel, où ils eurent chacun leur chambre particulière. C'était l'hôtel Métropole, celui où la Gestapo avait établi aussi son quartier général. L'obscur personnage que je suis eut ce même honneur.

»Une chambre particulière dans un hôtel – peut-on rêver traitement plus humain ? Et pourtant, croyez-moi, c'était pour nous appliquer une méthode plus raffinée, mais non pas plus humaine, qu'on nous logeait dans des chambres d'hôtel convenablement chauffées plutôt que dans des baraques glacées et trop pleines. Car la pression qu'on voulait exercer sur nous pour nous arracher des renseignements était d'une espèce plus subtile que celle des coups de bâton et autres tortures corporelles. On nous soumettait à l'isolement le plus raffiné qui se puisse imaginer. On ne nous faisait rien – on nous laissait seulement en face du néant, car il est notoire qu'aucune chose au monde n'oppresse davantage l'âme humaine. En créant autour de chacun de nous un vide complet, en nous confinant dans une chambre hermétiquement fermée au monde extérieur, on usait d'un moyen de pression qui devait nous desserrer les lèvres plus sûrement que les coups et le froid.

»Au premier abord, la chambre qu'on m'assigna

n'avait rien d'inconfortable. Elle possédait une porte, un lit, une chaise, une cuvette, une fenêtre grillagée. Mais la porte demeurait verrouillée nuit et jour, il m'était interdit d'avoir un livre, un journal, du papier ou un crayon. Et la fenêtre s'ouvrait sur un mur. Autour de moi, c'était le néant, j'y étais tout entier plongé. On m'avait pris ma montre, afin que je ne mesure plus le temps, mon crayon, afin que je ne puisse rien écrire, mon couteau, afin que je ne m'ouvre pas les veines; on me refusa même la légère griserie d'une cigarette. Je ne voyais jamais aucune figure humaine, sauf celle du gardien, qui avait ordre de ne pas m'adresser la parole et de ne répondre à aucune question. Je n'entendais jamais une voix humaine.

»Ce régime qui, jour et nuit, privait les sens de tout aliment, me laissait seul, désespérément seul en face de moi-même et de quatre ou cinq objets muets: la table, le lit, la fenêtre, la cuvette. Je vivais comme le plongeur sous sa cloche de verre, dans ce noir océan de silence, mais un plongeur qui pressent déjà que la corde qui le reliait au monde s'est rompue et qu'on ne le remontera jamais de ces profondeurs muettes. Je n'avais rien à faire, rien à entendre, rien à voir, autour de moi régnait le néant vertigineux, un vide sans dimensions dans l'espace et dans le temps. J'allais et venais dans ma chambre et mes pensées allaient et venaient dans ma tête, sans trêve, suivant le même mouvement.

»Mais, si dépourvues de matière qu'elles paraissent, les pensées aussi ont besoin d'un point d'appui, faute de quoi elles se mettent à tourner sur elles-mêmes dans une ronde folle. Elles ne supportent pas le néant, elles non plus. On attend quelque chose du matin au soir, mais il n'arrive rien. On attend, on recommence à attendre. Il n'arrive rien. On attend, on attend, on attend, les pensées tournent, tournent dans votre tête, jusqu'à ce que les tempes vous fassent mal. Il n'arrive toujours rien. On reste seul. Seul. Seul.

»Cela dura quinze jours, pendant lesquels je vécus hors du temps, hors du monde. La guerre eût éclaté que je n'en aurais rien su. Le monde ne se composait plus pour moi que d'une table, d'une porte, d'un lit, d'une chaise, d'une cuvette, d'une fenêtre et de quatre murs sur lesquels je regardais fixement le même papier. Chaque ligne de son dessin mouvementé s'est gravée comme au burin dans mon cerveau, tant je l'ai regardé.

»Enfin commencèrent les interrogatoires. On était appelé brusquement, sans bien savoir si c'était la nuit ou le jour. On vous conduisait à travers des corridors, on ne savait pas où. On attendait ensuite quelque part, puis on se trouvait tout à coup devant une table autour de laquelle étaient assis quelques personnages en uniforme. Sur la table, il y avait une liasse de papiers, un dossier dont on ne savait ce qu'il contenait, et aussitôt commençaient les questions, les franches et les perfides, celles qui en cachent d'autres, celles qui cherchent à vous prendre au piège. Pendant que vous répondiez, des mains étrangères et hostiles feuilletaient ces papiers dont vous ne saviez ce qu'ils contenaient, une plume malveillante dressait un procès-verbal sans que vous sachiez ce qu'elle écrivait.

»Mais ce qu'il y avait de plus redoutable pour moi dans ces interrogatoires, c'était de ne pouvoir deviner ce que, grâce à son espionnage, la Gestapo connaissait réellement de la marche de mes affaires, et ce qu'elle voulait apprendre de moi. Comme je vous l'ai dit, j'avais expédié à mon oncle, à la dernière minute, et par l'intermédiaire de ma gouvernante, les documents les plus compromettants. Mais la brave femme les avait-elle reçus ? Et jusqu'à quel point mon employé m'avait-il trahi ? Qu'avait-on pu saisir de mes lettres, qu'avait-on tiré, peut-être déjà d'un pauvre prêtre, habilement interrogé dans l'un des couvents que nous représentions ? On me questionnait, on me questionnait. Quels titres avais-je achetés pour ce couvent ? Avec quelle banque étais-je en correspondance ? Connaissais-je Monsieur tel et tel ? Recevais-je des lettres de Suisse et de Steenockerzeel ? Et comme je ne pouvais me faire une idée exacte de ce qu'on savait déjà, chacune de mes réponses comportait une écrasante responsabilité. Si je disais quelque chose qu'on ne savait pas, j'envoyais peut-être quelqu'un à la mort ; si j'en taisais trop, je me nuisais à moi-même.

»L'interrogatoire n'était pourtant pas le pire. Le pire c'était le retour au néant, dans cette même chambre, devant cette même table, ce même lit, cette même cuvette, ce même papier au mur. Car, à peine étais-je seul, avec mes pensées, que je me mettais à refaire l'interrogatoire, à songer à ce que j'aurais dû répondre de plus habile, à ce que je dirais la prochaine fois pour écarter le soupçon que j'avais peut-être éveillé par une remarque inconsidérée. J'examinais, je creusais, je contrôlais chacune de mes dépositions, je repassais chaque question, chaque réponse, j'essayais d'apprécier ce que le procès-verbal pouvait avoir enregistré, tout en sachant bien que je n'y parviendrais jamais.

»Mais ces pensées une fois mises en branle, elles tournaient, tournaient dans ma tête, faisant sans cesse entre elles de nouvelles combinaisons et me poursuivant jusque dans mon sommeil. Ainsi, l'interrogatoire fini, mon propre esprit prolongeait inexorablement son tourment avec plus de cruauté que les juges, qui levaient l'audience au bout d'une heure, tandis que, dans ma chambre, la solitude rendait ma torture interminable. Autour de moi, jamais rien d'autre que la table, l'armoire, le lit, le papier peint, la fenêtre. Aucune distraction, pas de livre, pas de journal, pas d'autre visage que le mien, pas de crayon qui m'eût permis de prendre des notes, pas une allumette pour jouer, rien, rien, rien. Oui, il fallait un génie diabolique, un tueur d'âme, pour inventer ce système de la

chambre d'hôtel. Dans un camp de concentration, il m'eût fallu sans doute charrier des cailloux, jusqu'à ce que mes mains saignent et que mes pieds gèlent dans mes chaussures, j'eusse été parqué avec vingt-cinq autres dans le froid et la puanteur. Mais du moins, j'aurais vu des visages, j'aurais pu regarder un champ, une brouette, un arbre, une étoile, quelque chose enfin qui change, au lieu de cette chambre immuable, si horriblement semblable à elle-même dans son immobile fixité. Là, rien qui puisse me distraire de mes pensées, de mes folles imaginations, de mes récapitulations maladives. Et c'était justement ce que voulaient mes bourreaux – me faire ressasser mes pensées jusqu'à ce qu'elles m'étouffent et que je ne puisse faire autrement que de les cracher, pour ainsi dire, d'avouer, de tout avouer, livrant ainsi mes amis et les renseignements désirés. Je sentais que mes nerfs, peu à peu, commençaient à se relâcher sous cette atroce pression, et je me raidissais jusqu'à la limite de mes forces pour trouver une diversion.

»En guise d'occupation, je récitais ou reconstituais tant bien que mal tout ce que j'avais appris par cœur autrefois, chants populaires et rimes enfantines, passages d'Homère appris au gymnase, paragraphes du Code civil. Puis j'essayais de faire des calculs, d'additionner, de diviser des nombres quelconques. Mais, dans ce vide, ma mémoire ne retenait rien. Je ne pouvais me concentrer sur rien. La même pensée se glissait partout: que savent-ils ? Qu'ai-je dit hier, que dois-je dire la prochaine fois ?

»Je vécus quatre mois dans ces conditions indescriptibles. Quatre mois, c'est vite écrit et c'est vite dit. Un quart de seconde suffit à articuler ces trois syllabes: quatre mois. Quelques caractères suffisent à les noter. Mais comment peindre, comment exprimer, fût-ce pour soi-même, une vie qui s'écoule hors de l'espace et du temps ? Personne ne dira jamais comment vous ronge et vous détruit ce vide inexorable, de quelle manière agit sur vous la vue de cette perpétuelle table et de ce lit, de cette perpétuelle cuvette et de ce papier au mur, ce silence auquel on vous réduit, l'attitude de ce gardien, toujours le même, et qui pose la nourriture devant son prisonnier sans lui jeter un regard. Des pensées, toujours les mêmes, tournent dans le vide autour de ce solitaire jusqu'à ce qu'il devienne fou.

»A de petits signes inquiétants, je connus que mon cerveau se détraquait. Au début, j'avais la tête claire en présence de mes juges, et je faisais des dépositions calmes et réfléchies; je triais parfaitement dans mon esprit ce qu'il fallait dire et ce qu'il ne fallait pas dire. Maintenant, je n'articulais plus même une phrase toute simple sans bégayer, car tout en la prononçant, je fixais, hypnotisé, la plume du greffier qui courait sur le papier, comme si je voulais courir après mes propres paroles. Je sentais que mes forces diminuaient et qu'approchait le moment où, dans l'espoir de me sauver, je dirais tout ce que je savais et davantage encore, où, pour échapper à l'emprise mortelle du néant, je trahirais douze hommes et leurs secrets, dussé-je n'y gagner qu'un instant de répit.

»J'en étais là, un certain soir. Le gardien m'apportait justement à manger, et je lui criai, en suffoquant au moment où il s'en allait: «Conduisez-moi devant les juges! Je dirai tout! Je dirai où sont les papiers, où est l'argent! Je dirai tout, tout!» Par bonheur, il n'entendit pas. Peut-être aussi ne voulut-il pas entendre. J'en étais réduit à cette extrémité, quand se produisit un événement inattendu, qui devait être mon salut, du moins pour un certain temps. C'était un jour sombre et maussade de la fin de juillet. Je me souviens très bien de ce détail parce que la pluie tambourinait sur les vitres, le long du couloir par lequel on m'emmenait à l'interrogatoire. On me fit attendre dans l'antichambre. Il fallait toujours attendre avant de comparaître, cela faisait partie de la méthode. On commençait par ébranler les nerfs de l'inculpé en l'envoyant chercher brusquement au milieu de la nuit, puis lorsqu'il s'était ressaisi, bandant toutes ses énergies en vue de l'audience, on le faisait attendre, attendre absurdement une heure, deux heures, trois heures avant de l'interroger, pour le mâter corps et âme. Je restai debout dans cette salle d'attente deux bonnes heures durant, ce jeudi 27 juillet; et voici pourquoi je me rappelle si précisément cette date: il y avait un calendrier suspendu au mur, et tandis que les jambes me rentraient dans le corps à force d'être debout – il était, bien entendu, interdit de s'asseoir – je dévorais des yeux, dans ma soif de lecture, ce chiffre et ce petit mot: 27 juillet, qui se détachait contre la paroi.

»Puis, je me remis à attendre, à regarder la porte, à me demander quand elle s'ouvrirait, à réfléchir à ce que les juges me demanderaient cette fois, tout en sachant bien qu'ils ne me poseraient pas les questions auxquelles je me préparais. Malgré l'anxiété de cette attente, malgré la fatigue qu'elle me causait, c'était encore un soulagement d'être ainsi dans une autre chambre que la mienne, une chambre un peu plus grande, éclairée de deux fenêtres, sans lit et sans cuvette, et dont la boiserie ne présentait pas certaine fente que j'avais remarquée des millions de fois dans la mienne. Les vernis étaient différents, la chaise aussi; à gauche de la porte il y avait une armoire pleine de dossiers et un vestiaire avec des patères auxquelles pendaient trois ou quatre manteaux militaires mouillés, les manteaux de mes bourreaux.

»Ainsi, j'avais des objets nouveaux à regarder – enfin du nouveau – et mes yeux s'y cramponnaient avidement. Je considérais chaque pli de ces manteaux, et je remarquai, par exemple, une goutte de pluie au bord d'un col mouillé. J'attendis avec une émotion qui vous paraîtra ridicule de voir si elle allait couler le long du pli ou se défendre encore longtemps contre la pesanteur – oui, je fixai, haletant, cette goutte, pendant plusieurs minutes, comme si ma vie en dépendait. Et lorsqu'elle fut enfin tombée, je me mis à compter les boutons sur chaque manteau, huit au premier, huit au second et dix au troisième; puis je comparai les parements entre eux. Mes yeux buvaient tous ces détails insignifiants, ils s'en repaissaient et s'en délectaient avec une passion que je ne puis exprimer par des mots.

»Et soudain, ils tombèrent sur quelque chose d'autre, quelque chose qui gonflait la poche de l'un des manteaux. Je m'approchai et crus reconnaître, à travers l'étoffe tendue, le format rectangulaire d'un livre. Un livre! Mes genoux se mirent à trembler: un *livre !* Il y avait quatre mois que je n'en avais pas tenu dans ma main, et sa simple représentation m'éblouissait. Un livre dans lequel je verrais des mots alignés les uns à côté des autres, des lignes, des pages, des feuillets que je pourrais tourner. Un livre où je pourrais suivre d'autres pensées, des pensées neuves qui me détourneraient de la mienne, et que je pourrais garder dans ma tête, quelle trouvaille enivrante et calmante à la fois! Mes regards se fixaient, hypnotisés, sur cette poche gonflée où se dessinait la forme du livre, ils étaient aussi brûlants que s'ils voulaient faire un trou dans ce manteau. Je n'y tins plus, et m'approchai encore. A la seule idée de palper un livre, fût-ce à travers une étoffe, les doigts me brûlaient jusqu'au bout des ongles. Presque sans le savoir, je me rapprochais toujours davantage.

»Le gardien ne prêtait heureusement aucune attention à mon étrange conduite. Peut-être trouvait-il simplement naturel qu'un homme veuille s'appuyer un peu à la paroi après être resté deux heures debout. Je finis par arriver près du manteau, et je mis mes mains derrière mon dos pour pouvoir le toucher subrepticement. Je tâtai l'étoffe et y sentis effectivement un objet rectangulaire, qui était souple et craquait légèrement – un livre! C'était bien un livre! comme l'éclair, la pensée jaillit dans mon cerveau: essaie de le voler! Peut-être réussiras-tu, et alors, tu pourras le cacher dans ta chambre et lire, lire, lire enfin, lire de nouveau! A peine cette pensée m'était-elle venue qu'elle agit sur moi comme un violent poison; mes oreilles se mirent à bourdonner, le cœur me battit, mes mains glacées ne m'obéirent plus.

»Cependant, la première stupeur passée, je me serrai astucieusement contre le manteau et, tout en regardant fixement le gardien, je fis peu à peu remonter le livre hors de la poche. Hop! Je le saisis avec précaution et je tins dans ma main un petit volume assez mince. Alors seulement, je fus effrayé de ce que je venais de faire. Mais je ne pouvais plus reculer. Où le mettre maintenant? Toujours derrière mon dos, je glissai le livre dans mon pantalon, sous la ceinture, et de là tout doucement jusque sur la hanche, de manière à pouvoir le tenir en marchant, la main sur la couture du pantalon comme il se doit militairement. Il s'agissait, à présent, de mettre ma ruse à l'épreuve. Je m'écartai du vesitiare, je fis un pas, deux pas, trois pas. Cela allait. Je parvenais à maintenir le livre à sa place si je gardais le bras bien collé au corps, à l'endroit de la ceinture.

»Vint alors l'interrogatoire. Il exigea de moi un plus gros effort que jamais, car toute mon attention se concentrait sur le livre et sur la façon dont je le tenais plutôt que sur ma déposition. Par bonheur, l'audience fut courte ce jour-là et je rapportai le livre sain et sauf dans ma chambre. Je vous fais grâce des détails, il glissa bien une fois fort dangereusement à l'intérieur de mon pantalon pendant que je longeais le couloir et il me fallut simuler un violent accès de toux pour me courber en deux et le repousser discrètement sous ma ceinture. Mais quel instant inoubliable que celui où je me retrouvai dans mon enfer, enfin seul, et cependant en cette précieuse compagnie.

»Vous vous imaginez sans doute que j'ai immédiatement tiré le livre de sa cachette pour le contempler et le lire. Je n'en fis rien. Je voulus d'abord savourer toute la joie que me donnait la seule présence de ce livre, et je retardai le moment de le voir pour le plaisir exquis de rêver à ce qu'il pouvait bien contenir. Je souhaitais avant tout qu'il soit imprimé très serré, qu'il y ait le plus de texte possible, sur des feuillets très fins, afin que j'aie beaucoup à lire. J'espérais aussi que ce serait une œuvre difficile, qui demanderait un gros effort intellectuel, quelque chose qui se puisse apprendre par cœur, de la poésie, et de préférence, rêve téméraire, Gœthe ou Homère. Enfin, je ne contins plus mon désir et ma curiosité. Etendu sur mon lit, de façon que le gardien, s'il entrait tout à coup, ne puisse me surprendre, je tirai en tremblant le livre de ma ceinture.

Au premier coup d'œil, je fus dépité et amèrement déçu: ce livre que j'avais escamoté au prix des plus grands dangers, ce livre qui avait éveillé en moi de si brûlants espoirs, n'était qu'un manuel du jeu d'échecs, une collection de cent cinquante parties jouées par des maîtres. N'eussé-je pas été enfermé et verrouillé, j'aurais, dans ma colère, jeté le livre par la fenêtre, car, au nom du ciel, que pouvais-je tirer de ce traité? Au temps où j'étais au gymnase, j'avais essayé, comme la plupart de mes camarades, de faire marcher des pions sur un échiquier, un jour que je m'ennuyais. Mais comment me servir de cet ouvrage théorique? On ne peut jouer aux échecs sans partenaire, encore bien moins sans échiquier et sans pièces.

«Je feuilletai le volume avec mauvaise humeur, dans l'espoir d'y découvrir tout de même quelque chose à lire, un avant-propos, des instructions. Mais il ne contenait que des diagrammes de parties célèbres, avec au-dessous, des signes qui me furent d'abord incompréhensibles : a2–a3, Sf1–g3, et ainsi de suite. C'était, me semblait-il, une sorte d'algèbre, dont je n'avais pas la clé.

»Peu à peu, je compris que les lettres a, b, c, désignaient les lignes longitudinales, les chiffres de 1 à 8, les transversales, et que ces coordonnées permettaient d'établir la position de chaque pièce au cours de la partie ; ces représentations purement graphiques étaient donc une manière de langage. Je pourrais peut-être, me dis-je, fabriquer une espèce d'échiquier et essayer ensuite de jouer ces parties. Grâce au ciel, je m'avisai que mon drap de lit était quadrillé. Soigneusement plié, il finit par faire un damier de soixante-quatre cases. Je cachai alors le livre sous le matelas, après en avoir arraché la première page. Puis, je prélevai un peu de mie sur ma ration de pain et j'y modelai des pièces, un roi, une reine, un fou et toutes les autres. Elles étaient bien informes, mais je parvins, non sans peine, à reproduire sur mon drap de lit quadrillé les positions que présentait le manuel.

»Néanmoins, lorsque je tentai de jouer une partie entière, j'échouai d'abord, à cause de mes ridicules pièces en mie de pain que j'embrouillais continuellement, parce que je n'avais pu mettre sur les «noires» que de la poussière en guise de peinture. Cinq fois, dix fois, vingt fois, je dus recommencer cette première partie. Mais qui au monde disposait de plus de temps que moi, dans cet esclavage où me tenait le néant, qui donc aurait pu être plus avide et plus patient ?

»Au bout de six jours, je jouais déjà correctement cette partie; huit jours après, je n'avais plus besoin des pièces en mie de pain pour me représenter les positions respectives des adversaires sur l'échiquier. Huit jours encore, et je supprimais le drap quadrillé. Les signes a1, a2, c7, c8 qui m'avaient paru si abstraits au début se concrétisaient à présent automatiquement en images visuelles. La transposition était complète: l'échiquier et ses pièces se projetaient dans mon esprit et les formules du livre y figuraient immédiatement des positions. J'étais comme un musicien exercé qui n'a qu'un coup d'œil à jeter sur une partition pour entendre aussitôt les thèmes et les harmonies qu'elle contient. Il me fallut encore quinze jours pour être en état de jouer de mémoire toutes les parties d'échecs exposées dans le traité; je compris alors quel inappréciable bienfait ce vol audacieux m'avait valu. Car j'avais maintenant une activité, stérile si vous voulez, mais une activité tout de même, qui détruisait l'empire du néant sur mon âme. Je possédais, avec ces cent cinquante parties d'échecs, une arme merveilleuse contre l'étouffante monotonie de l'espace et du temps.

»Pour conserver son charme à ma nouvelle occupation, je partageai méthodiquement ma journée: deux parties le matin, deux parties l'après-midi, et le soir une brève revision des quatre. Ainsi, mon temps était rempli, au lieu de se traîner avec l'inconsistance de la gélatine, et j'étais occupé sans excès, car le jeu d'échecs possède cette remarquable propriété de ne pas fatiguer l'esprit et d'augmenter bien plutôt sa souplesse et sa vivacité. Cela vient de ce qu'en y jouant, on concentre toutes ses énergies intellectuelles sur un champ très étroit, même quand les problèmes sont ardus. J'avais d'abord suivi mécaniquement les indications du livre, mais peu à peu, cela devint pour moi un jeu de l'intelligence auquel je me plaisais beaucoup. J'appris les finesses, les ruses subtiles de l'attaque et de la défense, je saisis la technique de la combinaison et de la riposte. Bientôt, je fus capable de reconnaître la manière caractéristique de chacun des joueurs célèbres, aussi sûrement qu'on reconnaît un poète à quelques vers d'une de ses œuvres. Ce qui n'avait été d'abord qu'une manière de tuer le temps devint un véritable amusement, et les figures des grands joueurs d'échecs, Aljechin, Lasker, Bogoljubow, Tartakower, vinrent aimablement peupler ma solitude.

»La variété anima désormais ma chambre muette et la régularité de ces exercices rendit leur assurance à mes facultés intellectuelles. Cette discipline d'esprit très exacte leur donna même une acuité nouvelle, dont les interrogatoires bénéficièrent les premiers; sans le savoir, j'avais, sur l'échiquier, amélioré ma défense contre les feintes et les détours perfides. Dès lors, je n'eus plus aucune défaillance devant mes juges et il me sembla qu'ils me regardaient avec un certain respect. Peut-être se demandaient-ils par devers eux où je trouvais la force de résister si fermement, quand tous les autres s'effondraient. Ce temps heureux où je refis systématiquement les cent cinquante parties du manuel dura environ trois mois. Là, parvenu au point mort, je me retrouvais brusquement devant le néant. Une partie jouée vingt ou trente fois n'a plus l'attrait de la nouveauté, sa vertu est épuisée. Quel sens cela avait-il de continuer, quand je savais chaque coup par cœur ? Le premier déclenchait automatiquement les suivants, il n'y avait plus de surprise, plus de problème.

»Pour me rendre ce divertissement dont je ne pouvais plus me passer, il eût fallu un second volume. Comme je ne pouvais y songer, il ne me restait qu'une issue: inventer d'autres parties que j'essayerais de jouer avec moi-même ou plutôt contre moi-même. Je ne sais si vous avez réfléchi à l'état d'esprit où vous plonge ce roi des jeux. Le hasard n'y a aucune part, l'attrait du jeu d'échecs réside tout entier en ceci que deux cerveaux s'y affrontent, chacun avec sa tactique. L'intérêt de ces batailles intellectuelles vient de ce que les noirs ne savent pas comment vont manœuvrer les blancs, et qu'ils cherchent sans cesse à deviner leurs intentions pour les contrecarrer, tandis que, de leur

83

côté, les blancs essaient de percer à jour les secrètes intentions des noirs et de les déjouer.

»Si donc les deux camps sont représentés par la même personne, la situation devient contradictoire. Comment un cerveau pourrait-il savoir quel but il se propose en jouant avec les blancs, puis l'ignorer sur commande pour faire ses plans avec les noirs ? Un pareil dédoublement de la pensée suppose un dédoublement complet de la conscience, il dénote une étrange capacité d'isoler à volonté certaines fonctions du cerveau, comme s'il s'agissait d'un appareil mécanique. Vouloir jouer aux échecs contre soi-même, cela équivaut à vouloir marcher sur son ombre.

»Eh! bien, pendant des semaines, c'est à cette absurdité que le désespoir me fit tendre. Les conditions où je me trouvais m'obligeaient à tenter ce dédoublement de mon esprit entre un moi blanc et un moi noir, si je ne voulais pas être écrasé par le néant horrible qui me cernait de toutes parts.»

Monsieur B. se renversa sur sa chaise-longue et ferma les yeux un instant. On eût dit qu'il chassait avec effort un souvenir importun. Au coin de sa bouche reparut le tic qui m'avait frappé. Puis il se redressa et poursuivit:

«Jusqu'ici, je crois que mon récit a été clair. Je ne sais, malheureusement, si la suite le sera autant. Car ma nouvelle occupation demandait une telle tension d'esprit qu'elle rendait tout contrôle sur moi-même impossible. J'aurais eu, peut-être, une chance minime de m'en sortir si je m'étais trouvé devant un véritable échiquier qui m'eût permis, en quelque sorte, de projeter les choses dans l'espace. Devant un échiquier, avec de vraies pièces à déplacer, on peut donner un rythme à ses réflexions, se transporter physiquement d'un côté de la table à l'autre, et considérer ainsi la situation tantôt du point de vue des noirs, tantôt de celui des blancs. Mais, contraint que j'étais de livrer des combats contre moi-même ou, si vous préférez, contre un moi que je projetais dans un espace imaginaire, il fallait que je me représente clairement les positions successives des pièces, les possibilités de chacun des partenaires et – si absurde que cela paraisse – que je voie distinctement en esprit, six, huit, douze positions différentes afin de calculer quatre ou cinq coups d'avance pour chacun des adversaires que j'étais seul à représenter.

»Mon cerveau se partageait, si je puis dire, en cerveau blanc et cerveau noir, pour mener ce jeu dans un espace abstrait et y combiner les coups qu'exigeait, dans les deux camps, la tactique de la bataille. Et le plus dangereux de l'affaire n'était pas encore cette division de ma pensée à l'intérieur de moi-même, mais le fait que tout se passait en imagination: je risquais ainsi de perdre pied brusquement et de glisser dans l'abîme. Lorsque, auparavant, je refaisais les parties célèbres du manuel, je n'exécutais qu'une copie, et l'exercice ne demandait pas plus de force que la mémorisation d'une pièce de vers ou d'un paragraphe du code. C'était une activité limitée, disciplinée, une gymnastique mentale remarquable.

»Deux parties le matin, deux l'après-midi, je m'acquittais de cette sorte de pensum sans beaucoup d'émotion. Le jeu me tenait lieu d'occupation normale et si je me trompais, si j'hésitais au cours d'une partie, le traité me prêtait son appui. Si cette activité m'avait été salutaire, c'est que je n'y étais pas moi-même en jeu. Il m'était indifférent que la victoire revînt aux noirs plutôt qu'aux blancs, c'était l'affaire d'Aljechin ou de Bogoljubow, qui briguaient l'honneur d'être champions, et le plaisir que j'éprouvais était celui du spectateur, du connaisseur qui apprécie les péripéties du combat et sa beauté. Dès le moment où je cherchai à jouer contre moi-même, je me mis inconsciemment au défi. Le noir que j'étais rivalisait avec le blanc que j'étais aussi, et chacun d'eux voulait gagner. La pensée de ce que je ferais en jouant avec les blancs me donnait la fièvre quand je jouais avec les noirs. L'un des deux adversaires qui étaient en moi triomphait et s'irritait à la fois quand l'autre commettait une erreur.

»Tout cela paraît dépourvu de sens, et le serait en effet s'il s'agissait d'un homme normal vivant dans des conditions normales. Quelle histoire inimaginable qu'une schizophrénie provoquée de cette manière, quel inconcevable dédoublement de la personnalité! Mais n'oubliez pas que j'avais été violemment arraché à mon cadre habituel, que j'étais un captif innocent, tourmenté depuis des mois par la solitude, un homme en qui la colère s'était accumulée sans qu'il pût la décharger sur rien ni sur personne. Aucune diversion ne s'offrant, excepté ce jeu absurde contre moi-même, ma rage et mon désir de vengeance s'y déversèrent furieusement. Il y avait un homme en moi qui voulait défendre son droit, mais il ne pouvait s'en prendre qu'à cet autre moi contre qui je jouais; aussi ces parties d'échecs me causaient-elles une excitation presque maniaque. Au début, j'étais encore capable de jouer calmement, je faisais une pause entre les parties pour me détendre un peu. Mais bientôt, mes nerfs irrités ne me laissèrent plus de répit. A peine avais-je joué avec les blancs que les noirs se dressaient devant moi, frémissants. A peine une partie était-elle finie qu'une moitié de moi-même recommençait à défier l'autre, car je portais toujours en moi un vaincu qui réclamait sa revanche.

»Je ne saurais dire, même approximativement, combien de parties j'ai joué ainsi, dans mon insatiable égarement – peut-être mille – peut-être davantage. J'étais possédé, et je ne pouvais m'en défendre; le jour durant, je n'avais en tête que mat et roquade, je ne voyais que pions, tours, rois et fous. Tout mon être, toute ma sensibilité se concentraient sur les cases d'un échiquier imaginaire. La joie que j'avais à jouer était devenue un désir violent, le désir une contrainte, une manie, une fureur frénétique qui envahissait mes jours et mes nuits. Je ne pensais plus qu'échecs, problèmes d'échecs, déplacement des pièces. Souvent, m'éveillant le front en sueur, je m'apercevais que j'avais continué à jouer en dormant. Si des figures humaines paraissaient dans mes rêves, elles se mouvaient à la manière de la tour, du cavalier, du fou.

»A l'audience, mes pensées étaient confuses. J'ai l'impression de m'être exprimé assez obscurément les dernières fois que je comparus, car les juges se jetaient des regards étonnés. En réalité, tandis qu'ils menaient leur enquête et leurs délibérations, je n'attendais, dans ma passion avide, que le moment d'être reconduit dans ma chambre pour y reprendre mon jeu, mon jeu de fou. Une partie, encore une partie. Toute interruption m'importunait, jusqu'au quart d'heure pendant lequel le gardien balayait la chambre, jusqu'aux deux minutes qu'il lui fallait pour m'apporter à manger. Souvent, mon repas était encore intact le soir dans son écuelle, car j'en oubliais de manger. Je n'avais qu'une soif effroyable, due sans doute à ce jeu fébrile et à ces perpétuelles réflexions. Je vidais ma carafe d'un trait et suppliais le gardien de me rapporter de l'eau, mais l'instant d'après, ma bouche était déjà sèche.

»Pour finir, mon excitation atteignit un degré tel que je ne pouvais plus rester assis une minute. Je ne faisais absolument rien d'autre que de jouer toute la journée, en arpentant ma chambre sans arrêt, toujours plus vite, d'un pas toujours plus pressé, à mesure que la fin de la partie approchait. La passion de gagner, de vaincre, de me vaincre moi-même devenait peu à peu une sorte de fureur; je tremblais d'impatience, car l'un des deux adversaires que j'abritais était toujours trop lent au gré de l'autre. Ils se harcelaient, et, si ridicule que cela vous paraisse, je me houspillais moi-même – «plus vite, plus vite, allons, allons» – quand la riposte n'était pas assez prompte.

»Je sais aujourd'hui, bien entendu, que cet état d'esprit était déjà pathologique. Je ne lui trouve pas d'autre nom que celui d'«intoxication par le jeu d'échecs», qui n'est pas encore dans le vocabulaire médical. Cette monomanie finit par m'empoisonner corps et âme. Je maigris, mon sommeil devint agité, intermittent. Au réveil, mes paupières étaient de plomb, je les ouvrais à grand'peine. J'étais devenu si faible, mes mains tremblaient tellement que je ne portais un verre à mes lèvres qu'au prix d'un gros effort. Mais sitôt une partie commencée, j'étais galvanisé par une force sauvage. J'allais et venais, les poings fermés, et j'entendais souvent, comme à travers un brouillard rougeâtre, ma propre voix me crier sur un ton rauque et méchant: «Echec!» ou «Mat!»

»Je ne puis vous dire comment la crise se produisit. Je sais seulement que je me réveillai un beau matin d'une autre manière que d'habitude. Mon corps était comme délivré de moi-même, il se prélassait, mollement étendu dans un agréable confort. Une bonne grosse fatigue, telle que je n'en avais pas connue depuis des mois, appesantissait mes paupières, me donnant un si grand sentiment de bien-être que je ne pus me décider à ouvrir les yeux tout de suite. Pendant quelques minutes, je demeurai ainsi, jouissant de ma torpeur, de la tiédeur de mon lit, avec une voluptueuse langueur. Tout à coup, il me sembla entendre des voix derrière moi, des voix humaines, chaudes et vivantes, qui prononçaient des mots tranquilles, et vous ne pouvez vous imaginer mon ravissement, à moi qui n'avais, depuis des mois rien entendu d'autre que les dures et méchantes paroles de mes juges. «Tu rêves!» me dis-je. «Tu rêves! Surtout n'ouvre pas les yeux! prolonge ton rêve, plutôt que de voir encore cette chambre maudite, la chaise, la cuvette, la table et l'éternel dessin du papier au mur. Tu rêves – continue à rêver.»

»Mais la curiosité l'emporta. Lentement, prudemment, j'ouvris les yeux. O merveille: je me trouvais dans une autre chambre, une chambre plus spacieuse que ma chambre d'hôtel. La lumière entrait librement par une fenêtre sans barreaux. Au-delà, je voyais des arbres, des arbres verts où courait le vent, au lieu de mon sinistre mur. Les vernis de la chambre étaient blancs et brillants, blanche aussi la couverture qui me couvrait – oui, vraiment, j'étais dans un autre lit, un lit que je ne connaissais pas. Ce n'était pas un rêve, des voix humaines parlaient doucement derrière moi. Ma découverte dut m'agiter violemment, car des pas s'approchèrent aussitôt. Une femme venait vers moi, la démarche légère, une femme qui portait une coiffe blanche, une infirmière. Je frissonnai, ravi: je n'avais pas vu de femme depuis un an. Sans doute regardai-je cette gracieuse apparition avec des yeux extasiés et brûlants, car l'infirmière me dit: «Restez tranquille! Bien tranquille!» Je n'écoutais que le son de sa voix – n'était-ce pas celle d'une créature humaine? Il y avait donc encore sur la terre des gens qui n'étaient pas des juges, des tortionnaires, il y avait, ô miracle! cette femme à la voix douce et chaude, presque tendre. Je fixais avidement la bouche qui venait de me parler avec bonté, car cette année infernale m'avait fait oublier que la bonté pût exister entre les hommes. Elle me sourit – oui, elle souriait, il y avait donc encore des gens qui souriaient en ce monde. Puis elle mit un doigt sur ses lèvres et s'éloigna sans bruit.

»Comment eussé-je pu lui obéir? Je fis au contraire des efforts énergiques pour m'asseoir dans mon lit et pour la suivre des yeux, pour contempler encore cette créature miraculeuse et bienveillante. Je voulais m'aider de mes mains, je n'y parvins pas. La droite avait disparu tout entière dans une sorte de gros paquet blanc, un pansement, apparemment. Je le considérai d'abord avec ahurissement, puis je compris lentement où j'étais, et me mis à réfléchir à ce qui pouvait bien m'être arrivé. On m'avait blessé, sans doute, ou bien je m'étais blessé moi-même à la main. Et je me trouvais à l'hôpital.

»L'après-midi, j'eus la visite du docteur; c'était un aimable vieux monsieur. Mon nom ne lui était pas inconnu et il parla avec tant de respect de mon oncle, le médecin de l'empereur, que je sentis tout de suite qu'il me voulait du bien. Au cours de la conversation, il me posa toutes sortes de questions, dont l'une, entre autres, me surprit: il me demanda si j'étais mathématicien ou chimiste. Je lui dis que non.

»– Curieux, murmura-t-il. Vous prononciez de si étranges formules, dans votre délire. – c_3, c_4. Personne de nous n'y comprenait rien.

»Je m'enquis de ce qui m'était arrivé. Il sourit bizarrement.

»– Rien de grave. Une violente crise de nerfs.» Et il ajouta tout bas, après avoir jeté un regard circonspect autour de lui: »Très compréhensible, d'ailleurs. Vous étiez là-bas depuis le treize mars, n'est-ce pas ?»

»Je fis «oui» de la tête.

»– Pas étonnant, avec cette méthode, grommela-t-il. Vous n'êtes pas le premier. Mais ne vous inquiétez pas.

»A la manière dont il me glissait ces mots, et dont il me regardait, je sus que j'étais en bonnes mains.

»Deux jours plus tard, l'excellent docteur me raconta franchement ce qui m'était arrivé. Le gardien m'avait entendu crier très fort dans ma chambre et il avait cru d'abord que quelqu'un s'y était introduit, avec qui je me querellais. Mais à peine avait-il paru à la porte que je m'étais précipité sur lui en poussant des cris sauvages: «Allons, vas-y, gredin, poltron!» J'avais essayé de le saisir à la gorge avec tant d'impétuosité qu'il avait dû appeler au secours. Tandis qu'on m'emmenait chez le médecin, je réussis à me dégager et, en proie à une rage frénétique, je me jetai contre la fenêtre du couloir. J'en brisai la vitre et me fis une profonde blessure à la main – vous en voyez encore ici la cicatrice. J'étais atteint d'une sorte de fièvre cérébrale quand on me transporta à l'hôpital, mais je ne tardai pas à recouvrer le complet usage de mes sens.

»– Bien entendu, je dirai pas à ces messieurs que vous allez mieux, ajouta doucement mon esculape, ils seraient capables de recommencer. Remettez-vous-en à moi, je ferai de mon mieux pour vous tirer d'affaire.

»J'ignore quel rapport ce précieux ami put bien faire à mes bourreaux. Le fait est qu'il obtint ce qu'il voulait: ma libération. Peut-être me fit-il passer pour un irresponsable, peut-être aussi ma personne ne présentait-elle déjà plus aucun intérêt pour la Gestapo, car Hitler venait d'occuper la Tchécoslovaquie et la situation de l'Autriche était liquidée à ses yeux. Je m'engageai par écrit à quitter ma patrie dans les quinze jours, et ces quinze jours furent si remplis par les mille formalités nécessaires aujourd'hui à un voyage à l'étranger – papiers militaires, papier de police, passeport, visa, certificat médical – qu'il ne resta guère de temps pour songer au passé. Il semble d'ailleurs qu'il y ait dans notre cerveau de mystérieuses forces régulatrices qui écartent spontanément ce qui pourrait nuire à l'âme, car chaque fois que j'essayais de penser à mon temps de captivité, la mémoire me faisait défaut. Ce ne fut que des semaines plus tard, lorsque je me trouvai sur ce paquebot, que je pus enfin repasser ces événements dans mon esprit.

»Vous comprenez maintenant pourquoi je me suis comporté de façon si incongrue envers vos amis. Je flânais au hasard dans le fumoir, quand je vis ces messieurs s'asseoir devant un échiquier; l'étonnement et l'effroi me clouèrent sur place. Car j'avais complètement oublié qu'on peut jouer aux échecs devant un échiquier tangible, avec des pièces palpables, j'avais oublié que c'est un jeu où deux personnes tout à fait différentes s'installent en chair et en os l'une en face de l'autre.

»En vérité, il me fallut quelques minutes pour me rappeler que ces joueurs que je voyais là jouaient au même jeu que moi dans ma cellule, quand je m'efforçais désespérément de jouer contre moi-même. Les chiffres dont je m'étais accommodé à cette époque d'exercices farouches n'étaient donc que les symboles de ces pièces d'os. La surprise que j'éprouvais à voir que le mouvement des pièces sur l'échiquier correspondait à celui de mes pions imaginaires ressemblait sans doute à celle de l'astronome qui a déterminé l'existence d'une planète au moyen de savants calculs et qui aperçoit soudain cette planète dans le ciel sous la forme d'une substantielle et brillante étoile. Hypnotisé, je fixais l'échiquier où je contemplais mes diagrammes concrétisés par un cavalier, une tour, un roi, une reine et des pions véritables. Pour bien saisir les positions respectives des adversaires, je fus obligé de transposer le monde abstrait de mes chiffres dans celui des pièces qu'on maniait sous mes yeux. Peu à peu, la curiosité s'empara de moi. Oubliant alors toute politesse, j'intervins dans votre jeu. L'erreur qu'allait commettre votre ami m'atteignit comme un coup au cœur. D'un geste instinctif, sans réfléchir, je le retins comme on retient un enfant qui se penche par-dessus une balustrade. Plus tard seulement, je me rendis compte de la grossière inconvenance de ma conduite.»

Je me hâtai de rassurer Monsieur B. en lui disant que nous nous félicitions de ce hasard qui nous avait permis de faire sa connaissance, et j'ajoutai que, pour ma part, j'étais doublement impatient d'assister au tournoi improvisé du lendemain, après avoir écouté son récit. Il eut l'air inquiet.

«Non, ne vous faites pas d'illusion. Il ne s'agira pour moi que de me mettre à l'épreuve... oui, je voudrais... je voudrais savoir si je suis capable de jouer une partie d'échecs ordinaire, sur un vrai échiquier, avec de vraies pièces, contre un adversaire réel... car il me reste toujours un doute à ce sujet. Ces cent, ces mille parties que j'ai jouées, étaient-elles réglementaires ? Ou n'était-ce qu'un jeu de rêve, comme on en fait quand on a la fièvre, un de ces rêves fantastiques, où l'on saute souvent des échelons indispensables à la réalité ?

»Vous ne prétendez pas sérieusement, j'espère, que je me mesure avec un champion mondial et que je le mette hors de combat. La seule chose qui m'intéresse, c'est de savoir une fois pour toutes si je jouais vraiment aux échecs, dans ma chambre d'hôtel, ou si j'étais déjà fou. En un mot, si j'étais en deçà ou au-delà de la zone dangereuse. C'est le but unique de cette partie à mes yeux.»

Au même moment, le gong nous appela à dîner. Notre entretien avait duré presque deux heures. J'ai beaucoup abrégé, ici, le récit que me fit Monsieur B. Je le remerciai chaleureusement et pris congé. Mais je n'avais pas quitté le pont qu'il me courait après et ajoutait, avec tant de nervosité qu'il en bégayait :

«Encore un mot ! Je ne voudrais pas paraître impoli

une seconde fois : voulez-vous prévenir ces messieurs que je ne jouerai qu'une seule partie ? Ce sera le point final à une vieille histoire... une conclusion définitive, pas un recommencement... Je ne désire pas être repris par cette passion fiévreuse, par cette rage de jouer à laquelle je ne pense qu'en tremblant... d'ailleurs, le médecin m'a averti... expressément averti. Un homme qui a été atteint d'une manie peut retomber malade, même s'il est complètement guéri... Il vaut mieux ne plus s'approcher d'un échiquier, quand on a été intoxiqué comme je le fus... Vous comprenez – je jouerai cette unique partie pour être fixé sur ce sujet, et ce sera tout.»

Le lendemain, à trois heures très précises, nous étions réunis au fumoir. Deux officiers du bord, amateurs d'échecs, s'étaient joints à nous, ayant obtenu une permission spéciale pour assister au tournoi. Czentovic ne se fit pas attendre, cette fois, et une partie mémorable s'engagea, qui mettait aux prises mon très obscur compatriote avec l'illustre champion. Je regrette qu'elle se soit déroulée devant d'aussi incompétents spectateurs et qu'elle soit perdue pour les annales du jeu d'échecs, comme sont perdues pour l'histoire de la musique les improvisations de Beethoven au piano. Nous essayâmes, il est vrai, de reconstituer la partie de mémoire, le lendemain, mais sans y réussir. Les joueurs nous avaient intéressés plus que le jeu, dont nous ne retrouvions plus les péripéties.

Le contraste intellectuel que formaient les deux partenaires s'exprima toujours davantage dans leurs attitudes respectives au cours de la partie. Raide et routinier, immobile comme une souche, Czentovic ne quittait pas l'échiquier des yeux. Réfléchir était pour lui un effort physique qui demandait une concentration de tout son corps. Monsieur B., au contraire, restait parfaitement dégagé et libre dans ses mouvements. Dilettante au plus beau sens du mot, il ne voyait dans le jeu que le plaisir qu'il lui causait, nous donnait avec désinvolture des explications entre les coups, allumait une cigarette d'une main légère et ne regardait l'échiquier qu'une minute avant de jouer. Il semblait toujours avoir prévu les intentions de l'adversaire.

Au début, tout alla assez vite. Ce n'est qu'au septième ou huitième coup que la bataille parut se dessiner selon un plan précis. Czentovic réfléchissait plus longuement; nous comprîmes à ce signe que la lutte était sérieusement engagée. Mais je dois à la vérité de dire que, pour nous autres, novices, le tournoi était plutôt décevant. Plus les pièces composaient sur l'échiquier leurs étranges arabesques, moins nous en pénétrions le sens caché. Nous ne saisissions ni les intentions des deux adversaires ni dans quel camp se trouvait l'avantage. Nous voyions seulement qu'ils déplaçaient leurs pièces, comme des généraux font marcher leurs troupes pour tâcher de faire une brèche dans les lignes ennemies. Mais nous ne pouvions comprendre les buts stratégiques de ces mouvements, car des joueurs aussi avertis combinent leur affaire plusieurs coups d'avance.

A notre ignorance, s'ajoutait peu à peu une fatigue qui venait surtout des longues minutes de réflexion nécessaires à Czentovic. Cette lenteur irritait visiblement mon compatriote. Je remarquai avec inquiétude qu'il s'agitait de plus en plus sur son siège. Il allumait nerveusement cigarette sur cigarette, ou prenait une note d'une main rapide. Il commença à se faire servir des bouteilles d'eau minérale qu'il avalait précipitamment. Il était évident qu'il calculait ses coups cent fois plus vite que Czentovic. Quant ce dernier se décidait enfin, après des réflexions interminables, à pousser une pièce de sa lourde main, notre héros souriait de l'air de quelqu'un qui a prévu la manœuvre depuis longtemps, et il ripostait aussitôt. Son cerveau travaillait si vite qu'il devait connaître déjà toutes les chances de son partenaire. Aussi, plus Czentovic tardait-il à se décider, plus l'impatience de l'autre augmentait-elle. Pendant qu'il attendait ainsi, ses lèvres prenaient une expression de contrariété presque hostile.

Mais Czentovic ne s'émouvait pas pour si peu. A mesure que les pièces se faisaient plus rares sur l'échiquier, ses réflexions s'allongeaient, mornes et muettes. Au quarante-deuxième coup, la partie avait duré deux heures trois quarts et nous ne la suivions plus que d'un regard hébété de fatigue. Un des officiers du bord était parti, l'autre lisait un livre et ne jetait un coup d'œil sur l'échiquier qu'au moment où l'un des partenaires avait joué. Soudain – c'était au tour de Czentovic – il se produisit quelque chose d'imprévu. Le champion avait le doigt sur le cavalier pour le faire avancer et Monsieur B., en le voyant, se ramassa sur lui-même comme un chat qui va sauter. Il se mit à trembler de tout son corps, poussa sa dame d'un geste sûr et s'écria, triomphant: «Ça y est! l'affaire est réglée!» Il se rejeta en arrière, se croisa les bras sur la poitrine et jeta à Czentovic un regard de défi où couvait une lueur brûlante.

Nous nous penchâmes tous sur l'échiquier pour suivre cette manœuvre si victorieusement annoncée. Au premier abord, on ne voyait rien de menaçant. L'exclamation de notre ami devait se rapporter à un développement ultérieur de la situation que nous autres, dilettantes à courte vue, ne savions pas prévoir. Czentovic seul n'avait pas bronché à l'annonce de son partenaire. Il était resté aussi imperturbable que s'il n'avait pas entendu. Il ne se passa rien. La montre posée sur la table pour mesurer l'intervalle entre deux coups faisait tic tac dans le silence général. Trois minutes s'écoulèrent, puis sept, puis huit – Czentovic ne bougeait toujours pas, mais il me sembla que l'effort élargissait encore ses narines épaisses.

L'attente devenait intolérable, pour Monsieur B. comme pour nous. Il se leva d'un bond et se mit à

marcher dans le fumoir de long en large, lentement d'abord, puis de plus en plus vite. Tout le monde le regardait, un peu surpris, et moi, j'étais plein d'inquiétude. Je venais de m'apercevoir que malgré son agacement, il arpentait toujours le même espace; on eût dit qu'une barrière invisible l'arrêtait au milieu de la chambre et l'obligeait à revenir sur ses pas. Je compris en frissonnant qu'il refaisait sans le vouloir le même nombre de pas que dans sa chambre d'hôtel. Oui, c'était exactement ainsi qu'il devait s'être promené, des mois durant, comme un fauve en cage, les mains crispées et les épaules rentrées, tandis que s'allumait dans son regard fixe et fiévreux la rouge lueur de la folie. En ce moment, il avait encore toute sa présence d'esprit, car il se tournait de temps en temps avec impatience du côté de la table, pour voir si Czentovic s'était décidé.

Neuf, dix minutes s'écoulèrent ainsi. Ce qui se passa ensuite, aucun de nous ne s'y attendait. Czentovic leva lentement sa lourde main. Chacun regarda anxieusement ce qu'il allait faire. Mais Czentovic ne joua pas: du revers de la main, il repoussa les pièces de l'échiquier. Nous ne comprîmes pas tout de suite qu'il abandonnait ainsi la partie, qu'il capitulait avant que tout le monde vît qu'il était battu. L'invraisemblable s'était produit. Un champion mondial, le vainqueur d'innombrables tournois, venait de baisser pavillon devant un inconnu, devant un homme qui n'avait pas touché à un échiquier depuis vingt ou vingt-cinq ans. Notre ami, cet anonyme, avait battu le plus fort joueur du monde entier dans un tournoi public. Sans nous en apercevoir, dans notre émotion, nous nous étions tous levés. Chacun de nous avait le sentiment de devoir faire ou dire quelque chose pour donner libre cours à son joyeux effroi. Le seul qui ne bougea pas fut Czentovic. Au bout d'un assez long moment, il leva la tête et regarda notre ami d'un œil dur.

«Encore une partie ? demanda-t-il.

– Mais certainement», répondit Monsieur B., avec un enthousiasme qui me fit une fâcheuse impression, et il se rassit avant que j'aie pu lui rappeler son intention de s'en tenir à une seule partie. Avec une hâte fiévreuse, il remit les pièces sur l'échiquier, et ses doigts tremblaient tellement, que par deux fois un pion s'en échappa et roula sur le plancher. Le malaise que me causait son excitation exagérée devint de l'angoisse. Indéniablement, cet homme calme et paisible s'était changé en exalté. Le tic faisait tressaillir toujours plus souvent le coin de sa bouche, et tout son corps tremblait, comme secoué par une fièvre subite.

«Cela suffit! lui soufflai-je doucement, ne jouez plus! C'est assez pour aujourd'hui, vous êtes trop fatigué.

– Fatigué! ha, ha!» il riait fort, d'un air méchant. «J'aurais pu faire dix-sept parties, si nous ne traînassions pas tant! Ce qui me fatigue, à ce rythme, c'est de rester éveillé. Allons, c'est à vous de commencer!»

Ces derniers mots, prononcés sur un ton violent, presque grossier, s'adressaient à Czentovic, qui jeta sur son adversaire un regard calme et mesuré, mais dur comme un poing fermé. Entre les deux joueurs était née une dangereuse tension, une haine passionnée. Ce n'étaient plus deux partenaires qui voulaient éprouver leur force en s'amusant, c'étaient deux ennemis qui avaient juré de s'anéantir réciproquement. Czentovic tarda longtemps avant de jouer son premier coup, et j'eus nettement le sentiment qu'il le faisait exprès. Il devait avoir compris que sa lenteur fatiguait et irritait l'autre, et il s'en servait, en tacticien bien entraîné.

Au bout de quatre grandes minutes, il ouvrit le jeu de la manière la plus simple et la plus ordinaire, en faisant avancer de deux cases le pion qui couvre le roi. Monsieur B. riposta aussitôt avec le même pion, puis Czentovic refit sa pose exaspérante. Nous attendions, le cœur battant, comme on attend le tonnerre après un éblouissant éclair, et que le tonnerre tarde, tarde encore. Czentovic ne bougeait pas. Lent, calme, il réfléchissait, et je sentais toujours mieux que sa lenteur était voulue et méchante. Du moins me laissait-elle tout le loisir d'observer Monsieur B. Il avait déjà avalé trois verres d'eau; je me rappelai son récit, la soif ardente qu'il avait eue pendant sa captivité. Le malheureux présentait tous les symptômes d'une excitation anormale, son front se mouillait, la cicatrice, sur sa main, devenait plus rouge et plus marquée. Jusque-là, il était resté maître de lui, mais au quatrième coup, Czentovic s'étant replongé dans des méditations interminables, il éclata :

«Jouez donc, voyons !»

Czentovic leva son œil froid.

«Nous avons, si je ne me trompe, fixé à dix minutes le temps d'intervalle entre les coups. Par principe, je ne joue pas plus rapidement.»

Monsieur B. se mordit les lèvres. Son pied, sous la table se mit à se balancer vite, toujours plus vite. Il allait perdre la tête, j'en eus l'irrésistible pressentiment. Au huitième coup, en fait, se produisit un nouvel incident. Monsieur B., qui supportait ces attentes avec toujours plus d'impatience, ne put se contenir davantage ; il se pencha en avant, en arrière, et se mit involontairement à tambouriner du doigt sur la table. Czentovic releva sa grosse tête.

«Puis-je vous prier de ne pas tambouriner ainsi ? Cela me dérange. Je ne puis pas jouer quand j'entends ce bruit.»

Monsieur B. eut un rire bref.

«Ha ! ha ! je m'en aperçois.»

Czentovic rougit.

«Que voulez-vous dire ?» demanda-t-il, la voix dure et mauvaise.

Monsieur B. rit encore, d'un rire sec et méchant.

«Oh! rien. Simplement que vous êtes très nerveux.»

Czentovic baissa la tête et se tut. Il attendit sept minutes pour jouer le coup suivant, et la partie continua à se traîner à ce rythme mortel. Czentovic semblait de plus en plus pétrifié. Il mettait maintenant dix minutes à prendre sa décision, et la conduite de son partenaire devenait de plus en plus étrange. Il semblait avoir oublié la partie en cours pour s'occuper de tout autre chose. Il avait cessé de se promener dans la chambre et restait assis, immobile sur sa chaise. Regardant le vide d'un œil hagard, il marmottait sans arrêt des mots incompréhensibles. Se perdait-il dans d'interminables combinaisons ou faisait-il déjà une autre partie, comme je l'en soupçonnais ? – le fait est que quand son tour était enfin venu de jouer, il fallait que nous le rappelions chaque fois à la réalité. Une minute lui suffisait pour s'orienter. Pourtant, j'étais de plus en plus persuadé qu'il nous avait tous oubliés, y compris Czentovic, et qu'il était en proie à une crise de démence froide qui pouvait éclater tout à coup avec violence.

La chose se produisit, effectivement, au dix-neuvième coup. A peine Czentovic avait-il joué que Monsieur B. poussait son fou trois cases plus loin, sans même regarder l'échiquier, en criant, si fort que nous sursautâmes :

«Echec! Echec au roi!»

Nous nous penchâmes tous sur l'échiquier, cherchant à comprendre. Mais ce qui se passa au bout d'une minute, aucun de nous ne s'y attendait. Lentement, très lentement, Czentovic leva la tête et nous regarda l'un après l'autre – ce qu'il n'avait encore jamais fait. On vit naître sur ses lèvres un sourire moqueur et satisfait, il paraissait éprouver un plaisir sans borne. Lorsqu'il eut pleinement joui de ce triomphe encore incompréhensible pour nous, il dit à la ronde, avec une politesse affectée:

«Je regrette, mais je ne vois pas comment mon roi pourrait être en échec. Un de ces messieurs le voit-il ?»

Nous examinâmes la situation, puis nos regards inquiets se tournèrent vers Monsieur B. Le roi de Czentovic était entièrement couvert par un pion – un enfant eût pu s'en rendre compte – il n'y avait donc pas d'échec au roi. Notre fougueux ami avait-il poussé sans le vouloir une pièce de travers ? Le silence général le rendit à lui-même, il examina l'échiquier à son tour et se mit à dire, en bégayant violemment:

«Mais le roi doit être en f7... il n'est pas à sa place, pas du tout! Vous vous êtes trompé! Tout est faux sur cet échiquier... ce pion-là est en g5, pas en g4... c'est une tout autre partie... c'est...»

Il s'arrêta brusquement. Je l'avais empoigné par le bras, et même pincé si fort qu'il l'avait senti, malgré son égarement. Il se retourna et me regarda avec des yeux de somnambule.

«Qu'y a-t-il ? Que voulez-vous ?

— *Remember !*[1]-» lui murmurai-je seulement, et je passai le doigt sur la cicatrice qu'il portait à la main. Il suivait mon mouvement, ses yeux se ternirent et se fixèrent sur la trace rouge. Tout à coup, il se mit à trembler, un frisson lui secoua tout le corps.

«Pour l'amour du ciel», chuchota-t-il, les lèvres blanches. «Ai-je dit ou fait quelque chose d'insensé... suis-je de nouveau... ?

— Non, fis-je doucement. Mais cessez immédiatement de jouer, il est grand temps. Souvenez-vous de ce que le médecin vous a dit!»

Monsieur B. se leva aussitôt.

«Veuillez excuser ma sotte méprise», dit-il en s'inclinant devant Czentovic avec toute son ancienne politesse. «Ce que je viens de dire est une absurdité, bien entendu. C'est vous qui l'avez emporté.»

Puis il se tourna vers nous.

«Je m'excuse aussi auprès de vous, messieurs. Mais je vous avais prévenus qu'il ne fallait pas trop attendre de ma science. Pardonnez cet incident ridicule — c'est la dernière fois de ma vie que je m'essaie à jouer aux échecs.»

Il s'inclina encore une fois et s'en fut, de la même manière mystérieuse et discrète qu'il nous était appa-

[1] En anglais dans le texte. (N. d. t.)

ru. J'étais seul à savoir pourquoi cet homme ne toucherait plus jamais un échiquier. Les autres demeuraient là, vaguement conscients d'avoir échappé à je ne sais quel danger.

«*Damned fool !*[1]» grogna MacConnor, déçu. Czentovic fut le dernier à quitter son siège; avant de s'éloigner, il jeta encore un coup d'œil sur la partie commencée.

«Dommage, dit-il, magnanime. L'affaire n'allait pas si mal. Pour un dilettante, ce monsieur est très remarquablement doué.»

---

[1] En anglais dans le texte. (N. d. t.)

ACHEVÉ D'IMPRIMER
LE 6 FÉVRIER 1989
SUR LES PRESSES DE
L'IMPRIMERIE HÉRISSEY
À ÉVREUX (EURE)
POUR LE COMPTE DES ÉDITIONS STOCK
22, AVENUE PIERRE-Ier-DE-SERBIE, 75116 PARIS

Imprimé en France

N° d'Éditeur : 1997
N° d'Imprimeur : 47405
Dépôt légal : Février 1989
54-12-3183-11
ISBN 2-234-01541-3